西東社

最後の審判のとき

人間たちの異変

ミシェル
ヒカル
ケン
ソフィーはどこだい？
おいしいミルクを買ってきたのに

ニャーニャー
サーヤと話してるんだよ
…ってことは闇月さんたちが人間界に到着するのね！
うん おそらくそうだね
えーし♪ 今日かしら？明日かしら？
そうときまったらパーティーで着るドレスを選ばなきゃ♪

それにゲストに招待状でしょお料理も…
こりゃあ盛大なパーティーになりそうだ…
ちょっといいかな…みんな
ケンどうしたんだい？急に怖い顔して
ここからはマジメな話だよ…

ぼくら4人は
カサッ
闇月さんに呼ばれて人間界にやってきた
そしてそれぞれ人間界で起こるいろいろな恐怖を見てきた
きゃあああああああ
みんなたくさんの人間たちとふれあったよね

うん…
ここ最近…
人間界の様子が
おかしい気がする
…え!?
悪霊や悪魔が
増えるいっぽうだ
それらに
影響される
人間も…

『ノロイの動画』なんてものも流行っているみたいだ
愛々ちゃんたち見たらしいよ
じつはわたしも思ってたの…
芸能界にも最近他人のことを考えない子がどんどん増えてる…
おつかれさまー
あいつマジでウザ悪口書いちゃえ

ボクもさ…
イッテェ
なんだよ
ケケケ
もう少し確信できたらぼくも話すつもりでいた…
どこからきたかわからない謎のアイテムがネットにあふれている
呪いの館

やっぱりみんなも…
いったいなにが…
人間たちの異変…
闇月さんが人間界にもどる
これってなにか関係あるのかしら？
う～ん
どうなんだろう…
ぼくは関係ある気がするんだ
闇月さんの帰りを待つしかないな…

…!?
どうしたんだ?
外がやけに
さわがしいぞ
ガサッ
カー
カー
ミャー
ミャー
カー
カー
カー
カー

このお話は48ページへ続きます……。

もくじ

本当に怖いストーリー 最後の審判

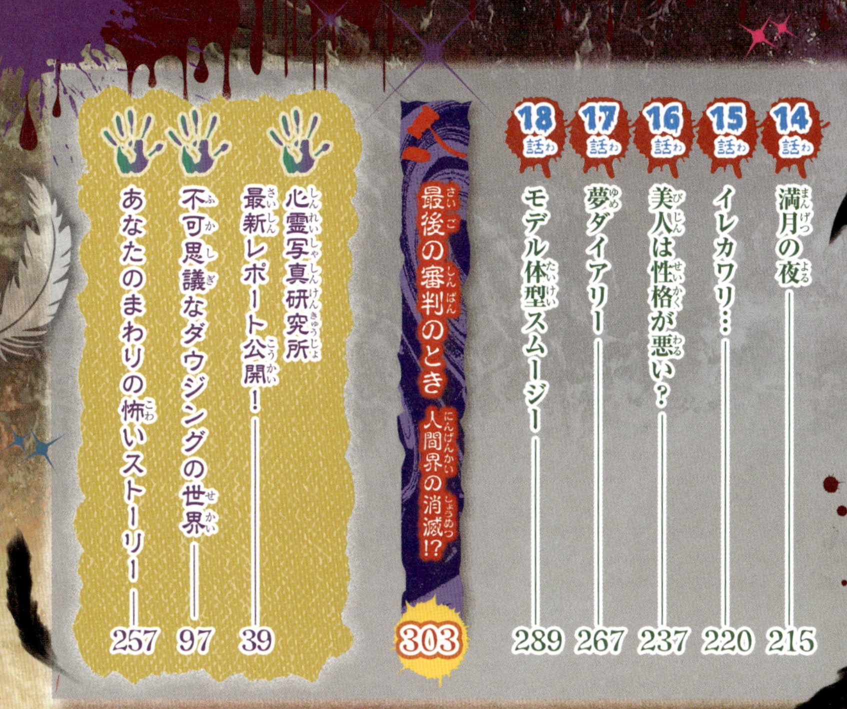

恐怖の世界を深く楽しむために…

マンガのタイトルページには下のようなマークがあり、マンガの特徴をあらわしています

こんな楽しみ方を…

★ストーリーの種類を見て、気分にあったマンガを選べます…
★怖い話が苦手な子は恐怖レベルが低いものから読んでみては…

邪悪の印
マンガに登場する「邪悪の印」をあらわすキーワード。最後まで読むと、ナゾがとけるはず…

恐怖レベル
羽根の数が増えるほど怖いマンガに

ストーリーの種類

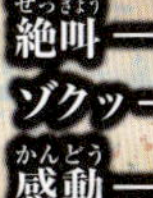

絶叫 — とにかく怖いシーンがたっぷり…
ゾクッ — あとからジワジワ怖くなる…
感動 — 怖いだけじゃなく感動できる…
ミステリー — 不思議な世界に迷いこむ…

恐怖満載のホラー小説がたくさん届きました…

ホラー小説大賞

受賞作品発表！

たくさんのご応募をいただき、本当にありがとうございました。
大賞と優秀賞の２作品は恐怖シーンを存分に表現したマンガで紹介します！

大賞 ブックキャラクター

千葉県 ゆゆ♬さん（小学５年生）

選考理由 ストーリーの展開が上手で、引きこまれる内容でした。夢と現実の表現もよかったですね。

受賞コメント 言葉に言いあらわせないほどうれしくて、涙がでそうでした。この小説では、全体の流れにあわせて起こる出来事と恐怖シーンを考えるのに苦労をしました。自分に自信が持てたので、これからもがんばりたいです。

➡マンガは15ページから…

優秀賞 きょうふの映画館

福島県 伊藤理子さん（小学６年生）

選考理由 ずばりテーマがおもしろかったです。読み手にシーンを想像させる描写もよかったですね。

受賞コメント 大好きなミラクルきょうふシリーズに載せてもらうことができ、夢のようです。小説を書くときに難しかったのは、始まりと結末をどう表現するかでした。また、わたし自身が体験したら怖いと思うことを書きました。

➡マンガは28ページから…

ゾクッ 恐怖レベル 2話
ブックキャラクター
わたしは本を読むのが大好きで
時間があればこの図書館にやってくる
あっ！これおもしろい！
でもあの日はいつもと様子がちがって…

本の世界ってステキ！
このなかに入ってみたいな…
なんだか変な人…
だ…だれか…

あれ？
声がでない

きみの名前はなんていうの？
教えたく…ありま…
なんだか口が重い

…はい
山崎渚美です

なんでわたししゃべっちゃってるの？
じゃあさ…本は好きかな？

はい
好きです…
本に登場する
キャラクターに
なってみたい？
は…はい
まぁ…それは
フフッ
あさっての
土曜日
図書館に
来られる？
なんなのこの人？
は…早く
逃げなきゃ
…でも
動かない…
また…
口が…
か…勝手に

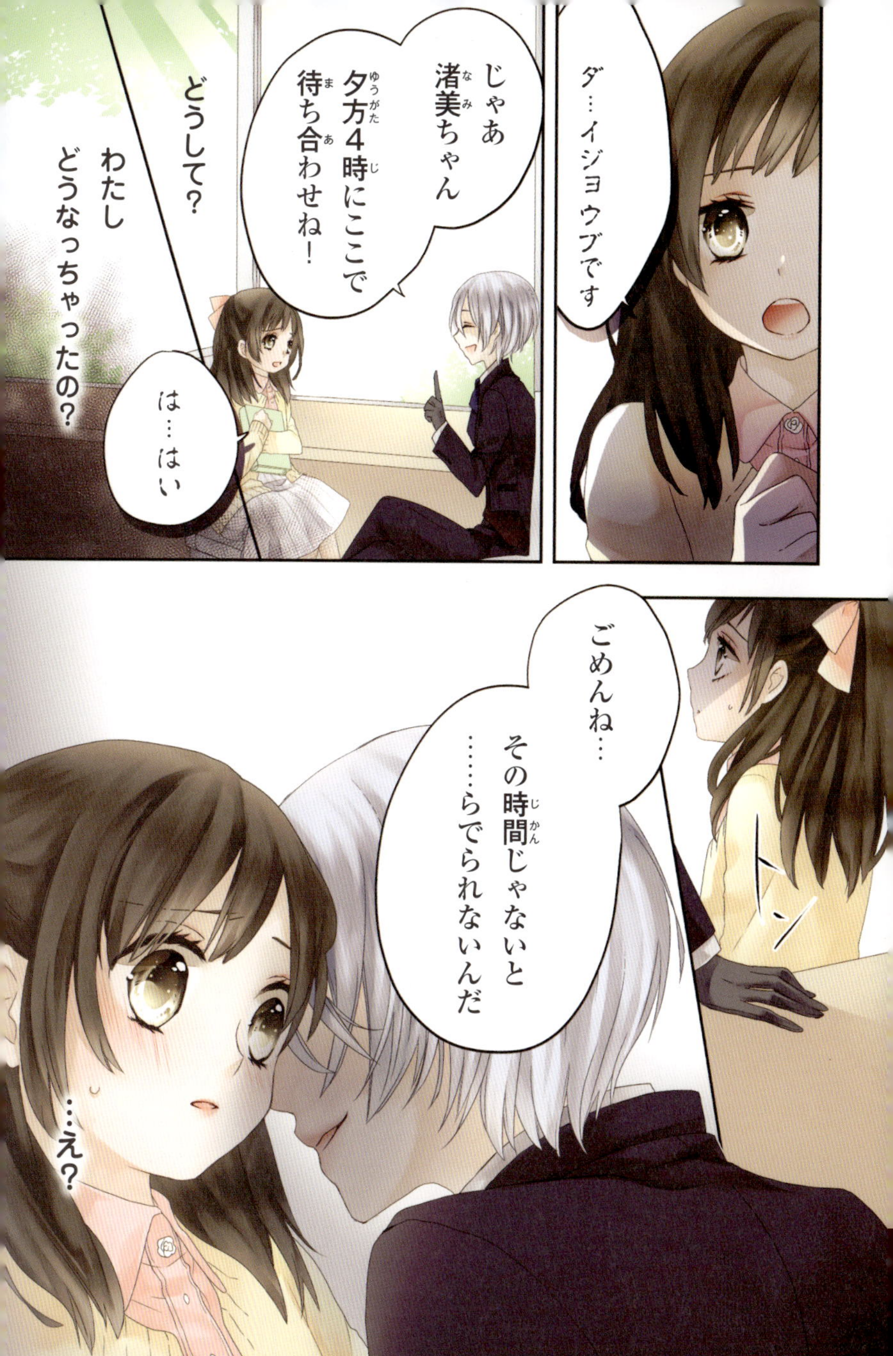
ダ…イジョウブです
じゃあ 渚美ちゃん 夕方4時にここで待ち合わせね！
は…はい
どうして？
わたし どうなっちゃったの？
ごめんね…
その時間じゃないと ……らでられないんだ
…え？

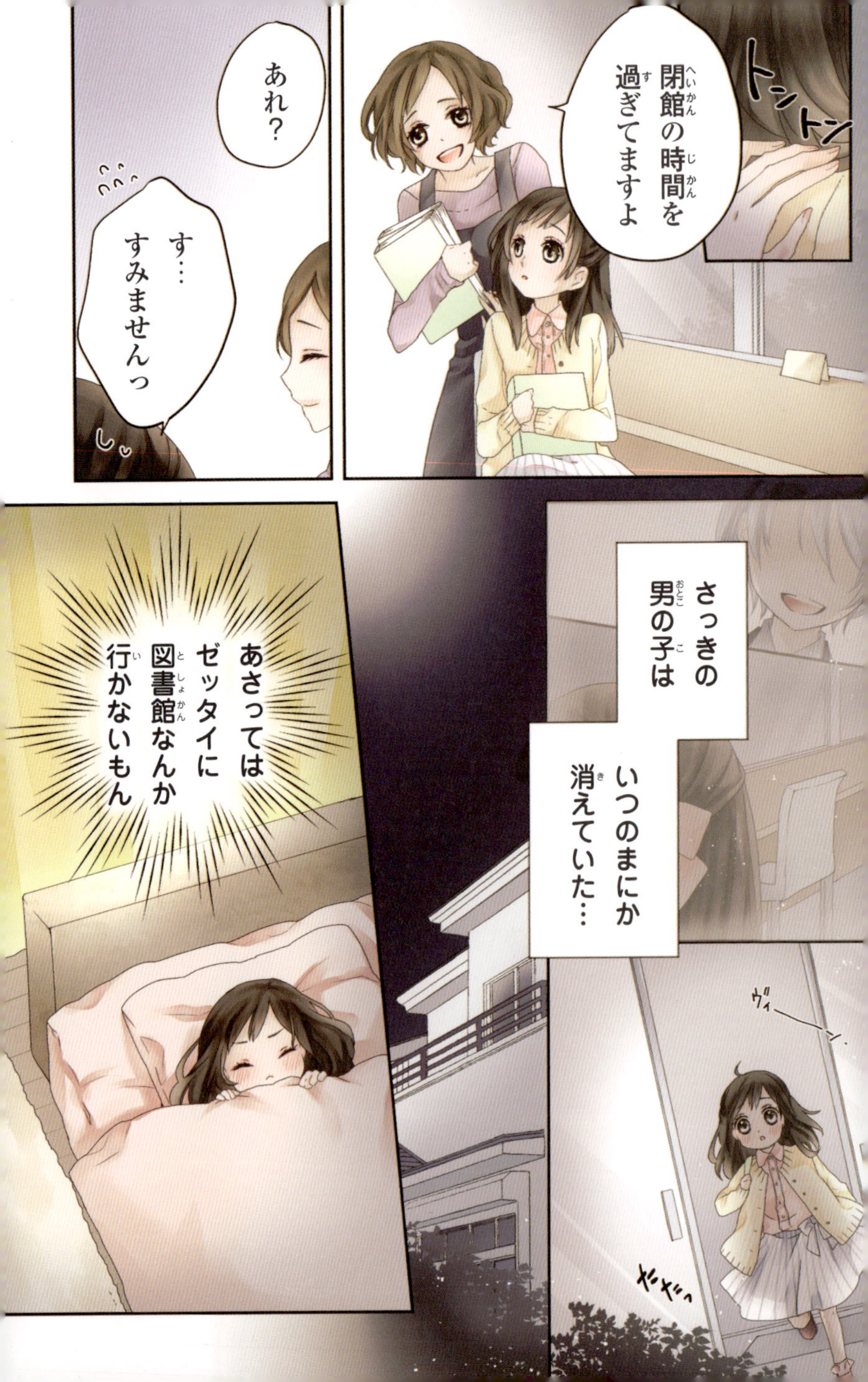
トントン
閉館の時間を過ぎてますよ
あれ？
す…すみませんっ
さっきの男の子は
いつのまにか消えていた…
ヴィーーン
ドドド
あさってはゼッタイに図書館なんか行かないもん

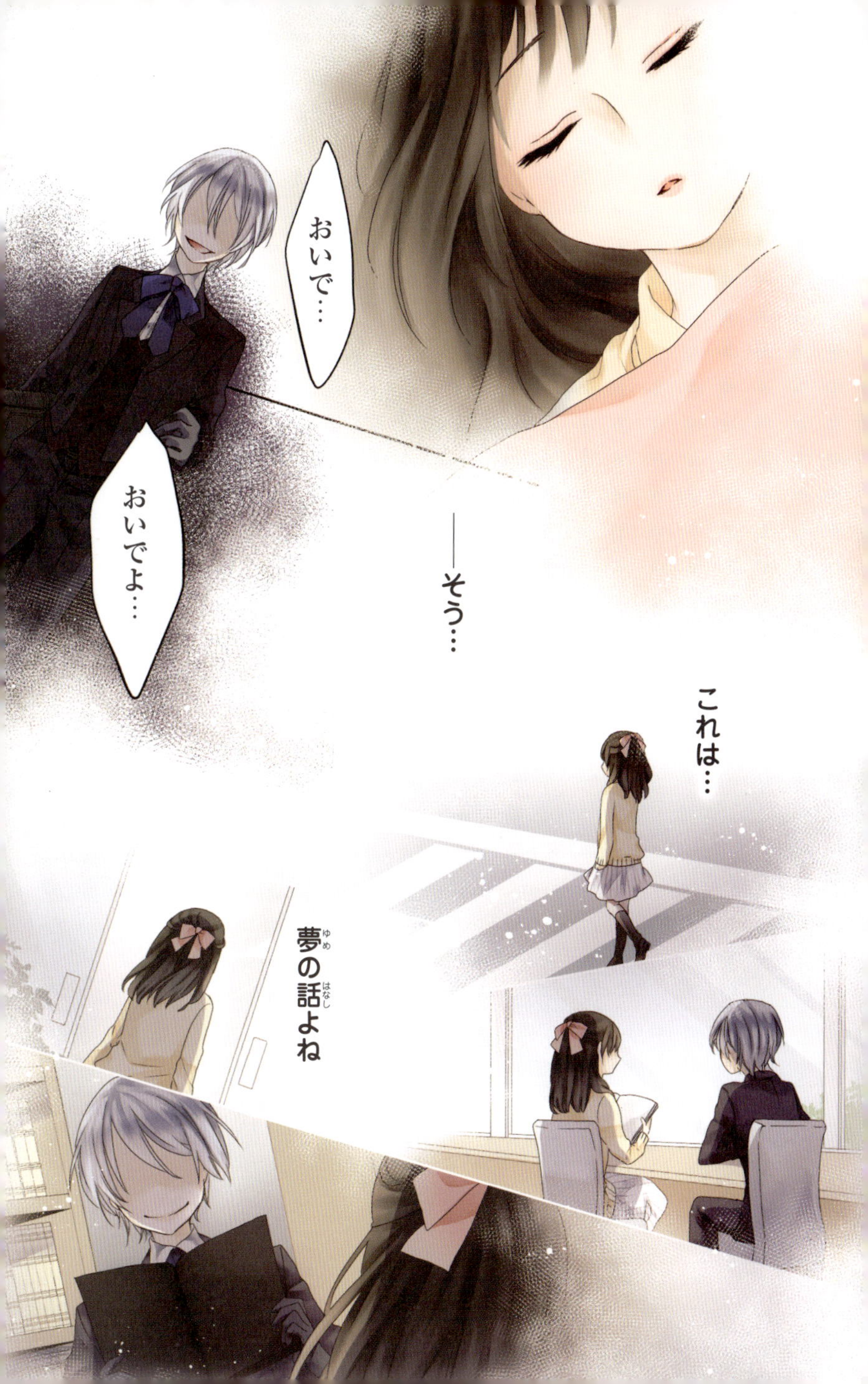
おいで…
おいでよ…
——そう…
これは…
夢の話よね

きゃああああ
がばっ
ハァ
ハァ
こんなの
ただの夢(ゆめ)だよ…
カタ
カタ

つぎの日の晩も
わたしはまた
同じ夢を見た
目ざめると
あの男の子と
約束した土曜日の
朝になっていた…
07:0
Saturday
今日は1日家で
ゲームをして
過ごすんだから…
ピロリン
だれからの
メールだろう?
渚美ちゃん。
今日はちゃんと
図書館に来てね。
ウ……ソ…
携帯番号
教えてないのに…
ピロリン
ピロリン
いやあああっ
ピロリン
ガク
ガク
ピロリン

ふら
ふら。
ハッ
どうしてわたし道を歩いているの？

約束の夕方4時まであと15分…
いそがないと
ハッ
おいで…
おいでよ
どうなってるの？

夢に見たのと同じ…
ぞくっ

ふら
ふら
ふら…

あ…あの黒い本って…夢でも…

さぁ…
本へ入る時間だよ
いや…どうして？

だれかぁー
た…すけ…

…て…
パタン
——また新しいキャラクターが増えた…

きょうふの映画館

絶叫
恐怖レベル
3話
体験型映画館
西町キネマ
あれ？
こんな場所に映画館なんてあったんだ…
キィ…

キィ…
キィ…
西町キネマ
ホラー専門の映画館なのかな…？
おもしろそう…
入ってみよう…
キィ…

閲覧注意
エツランチュウイ
タイトルはおもしろそうだけど
どんな映画かわかんないな……

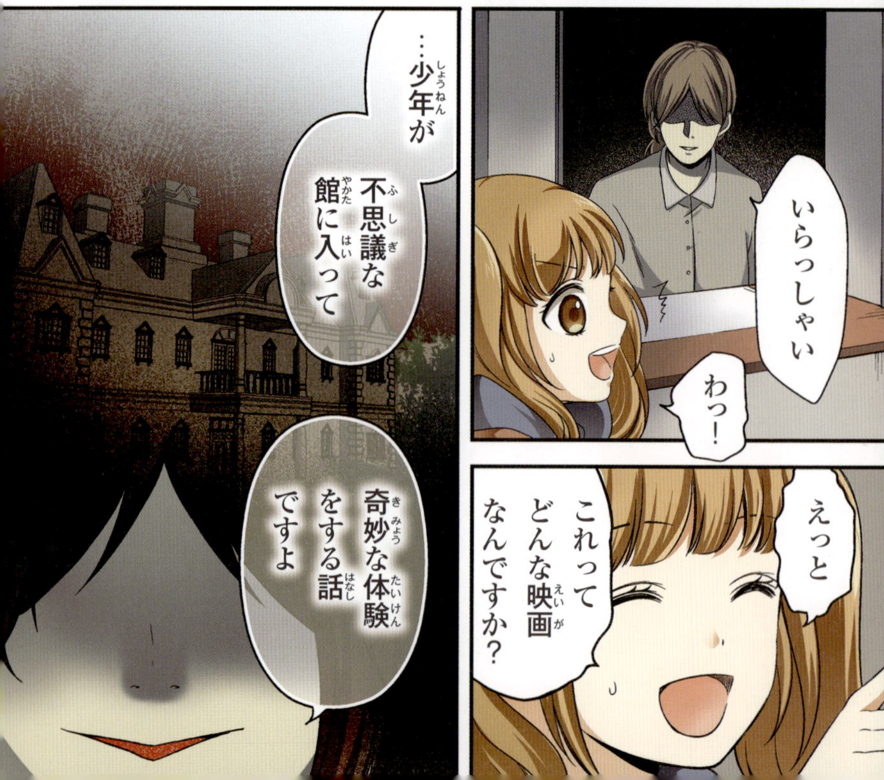
いらっしゃい
わっ!
…少年が不思議な館に入って
奇妙な体験をする話ですよ
えっと
これってどんな映画なんですか?

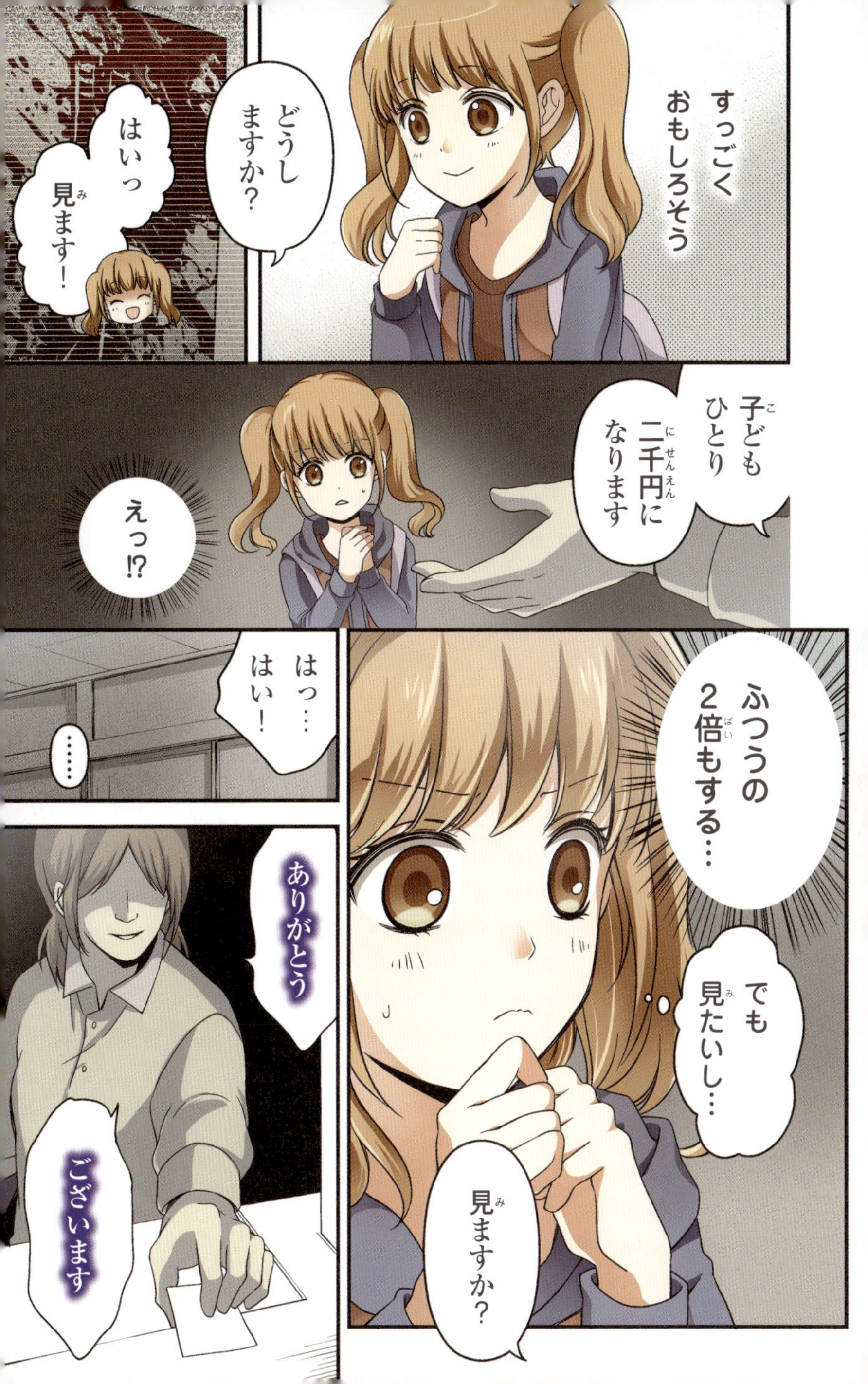
すっごく
おもしろそう
どうしますか？
はいっ見ます！
子どもひとり二千円になります
えっ⁉
ふつうの2倍もする…
でも見たいし…
見ますか？
はっ…はい！
……
ありがとう
ございます

わぁ〜っ
だれもいないや
貸切り!!

いちばん前にすわろう

ジィィ…

ザワ
ザワ

え…？
フワ
カッ
いまほほに風が…

ピシャン
ピシャン
！
すごい雨まで！
ザァ
ア
最新の4DX映画？
だからチケットが高かったんだ！
ザァアア…
ゴロ
ゴロ
ザ
ザ
キャアアア

ギャアアアア
ビチャ
え……？
なにこれ
血しぶき？
ここまで
リアルなんだ

こ…これ本物の血じゃないの？
ちょっと怖…帰…
えっ⁉
ガチャ
席にベルト⁉
ビクッ
いつの間に⁉

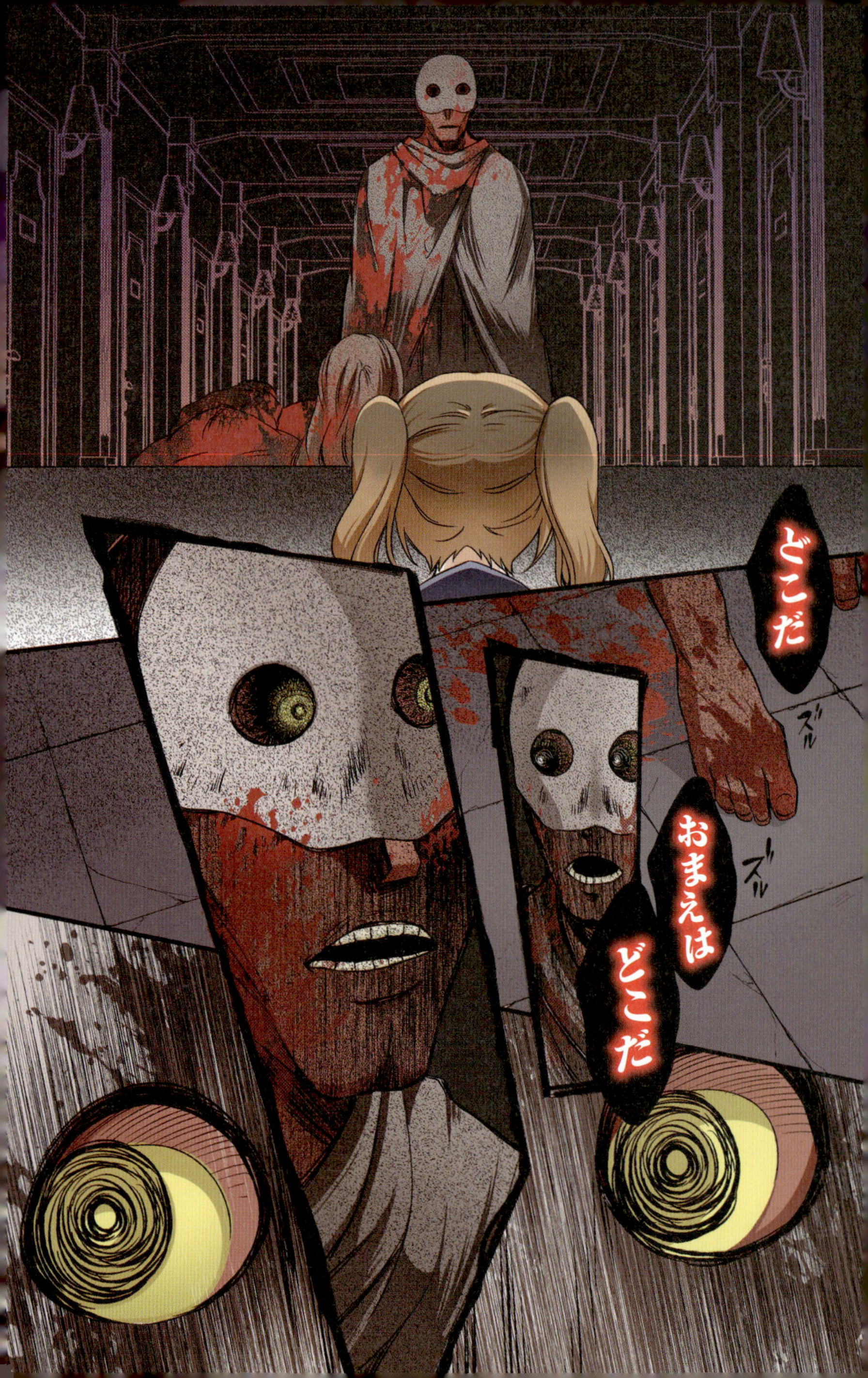
どこだ
ズル
ズル
おまえは
どこだ

いたっ
こっちに来る!?
ウソでしょ
だってこれは

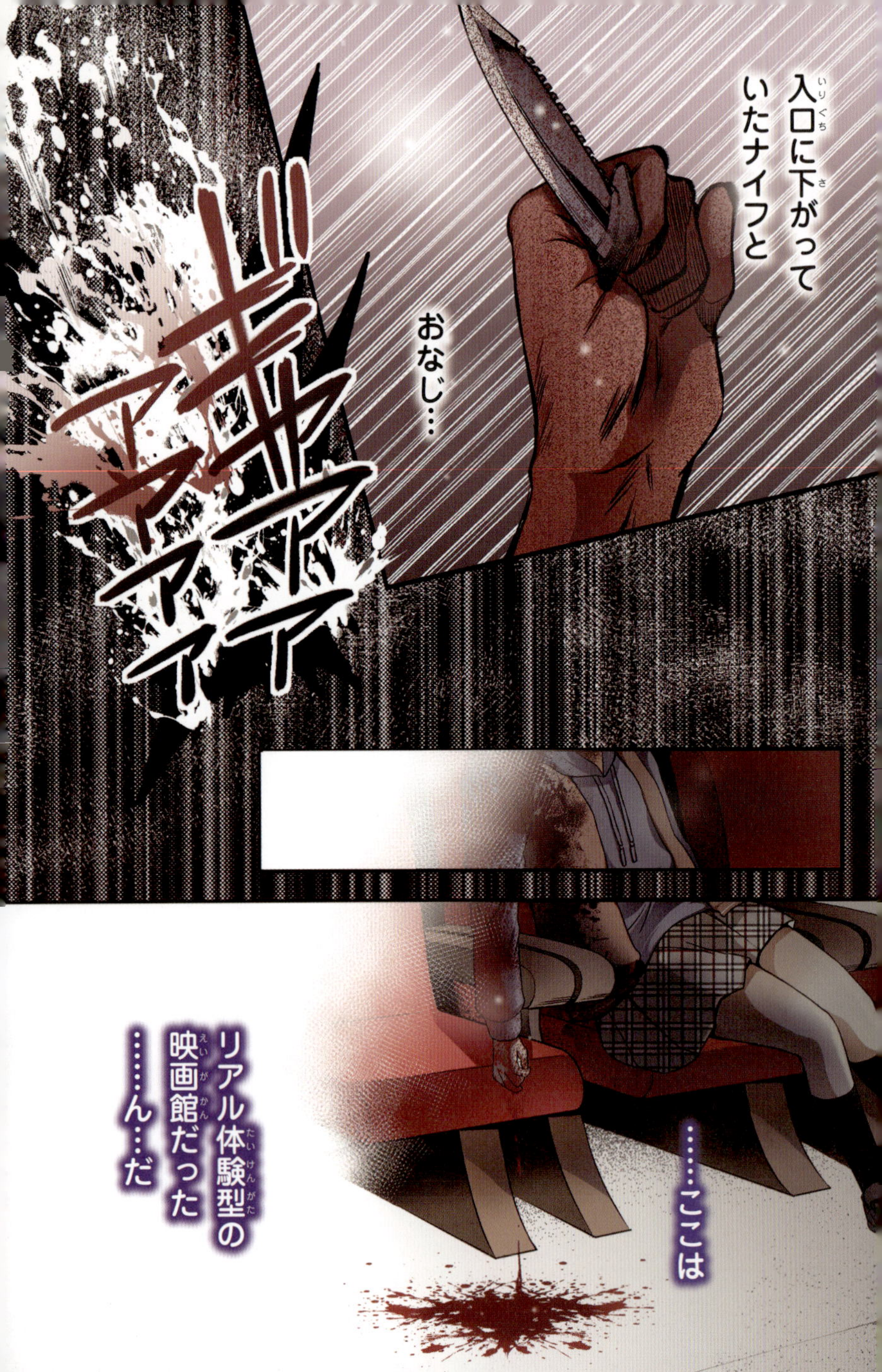

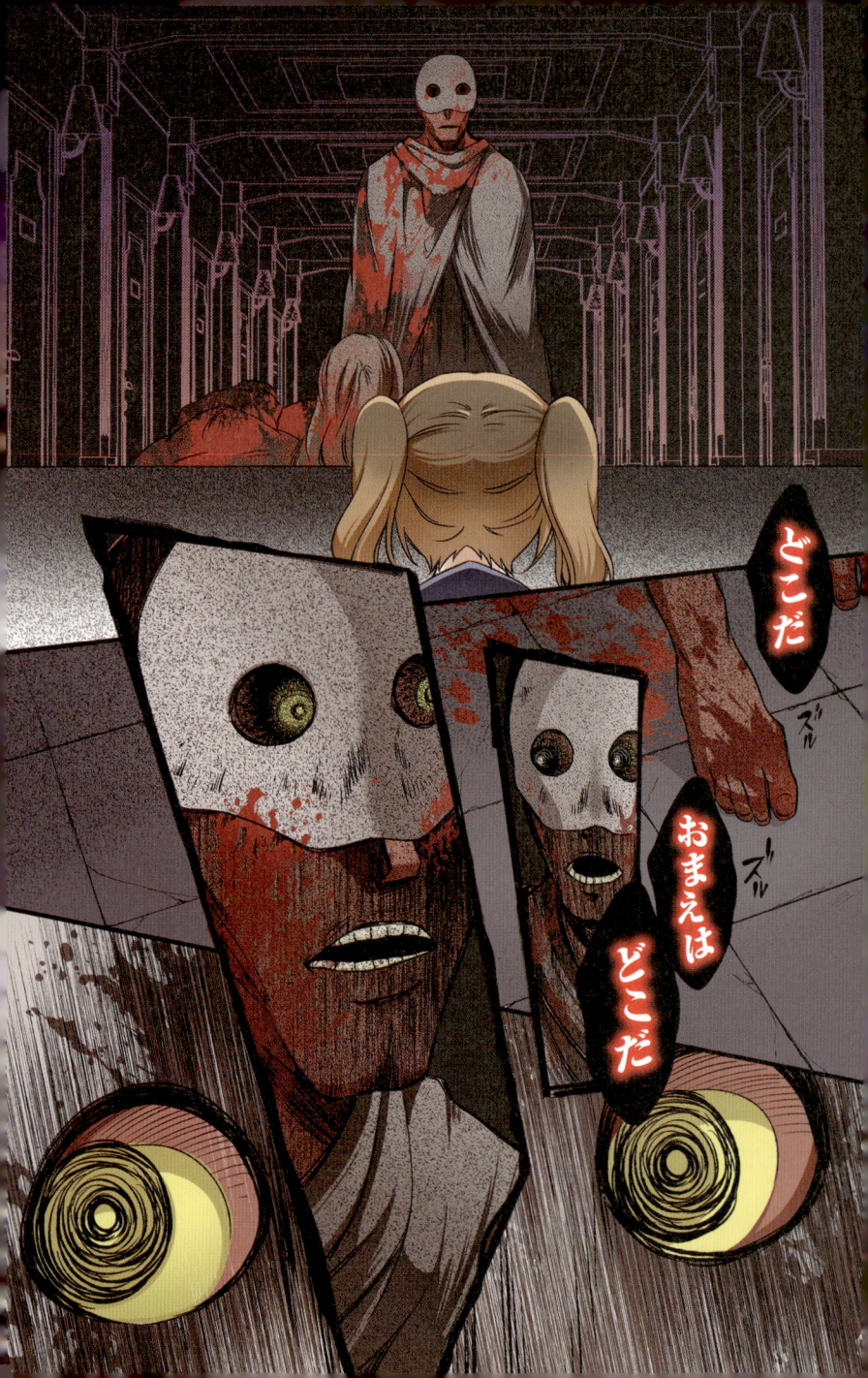

入口に下がっていたナイフと
おなじ…
ギャアアアアア
……ここは
リアル体験型の映画館だった……ん…だ

恐怖はとどまることなく日々うまれている…

心霊写真研究所

しんれいしゃしん けんきゅうじょ

最新レポート公開！

人知れず不可思議な心霊写真の研究をしている**心霊写真研究所**。
「心霊写真をもっと見たい！」
そんな声をもらったから
研究所から最新の研究ファイルを
送ってもらったんだ。
今回もたくさんの**恐怖心霊写真**を
ぼくといっしょに見ていこうか…。
ぼくは霊からのメッセージを
みんなに伝えていくよ。

シュ のマークがついてるよ。

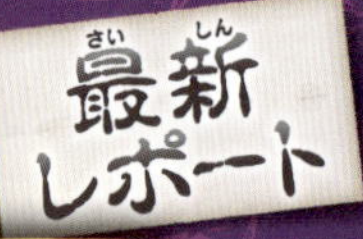

5

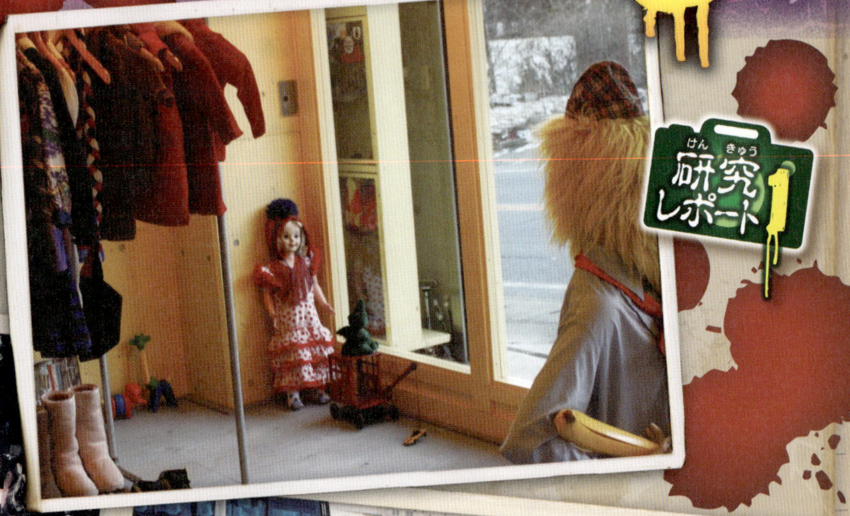

心霊写真といっても、霊の写り方はじつにさまざまなのだ。その写りこみ方は、霊が発するメッセージと大きく関係しているらしい。極秘研究にふさわしい、霊の写りこみ方の種類別に心霊写真をセレクトした。

研究レポート3

研究ファイルを読む前に
どこに霊が写りこんでいるのか
じっくりと確認してみよう!
きみにはすべてわかるかな?

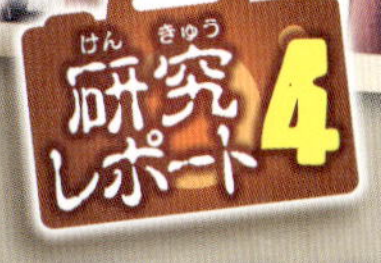

研究レポート5

心霊写真の解説は42ページから…

人の感情が入りやすい物には霊が宿るとされる。
なかでも人形やお面には霊が宿りやすい。

物に宿った霊

海外のアンティーク品を扱う店での1枚。壁前に立つ人形に注目。窓ガラスに写る顔が赤黒い悪魔に見える。しかも不気味に笑っているようだ。これは人形に宿った霊であろう。前の持ち主の邪気が、人形に霊を呼んでしまったと考えられる。

危険度

シュ つぎの持ち主を待ちかまえる邪気を感じるな。だれかがこの人形を買わないことを祈るよ。

特別公開 さらにこんな写真も…

修学旅行で宿泊した旅館で撮影された写真。写真右に巨大な顔が写りこむ。この顔は旅館ロビーに飾られた能面にそっくりで、この少年はこの夜に金縛りにあったそうだ。能面に宿った地縛霊のしわざである。

シュ 何十年も昔にここで亡くなった人が地縛霊となり、能面に宿ってしまったんだね。

研究レポート2

手だけ、足だけ、顔だけなど、体の一部だけが写りこむ霊は、その怨念も強いとされている。

手があらわれる…

写真全体に写るいくつかの青黒いシミに注目。これは霊たちの手である。この後、子どもたちが乗ったバスは道路脇の岩壁に衝突したという。幸いだれにもケガはなかったそうだが、霊の手は不吉な事故の暗示をしていたのだろう。

危険度

シュ 不吉な空気に霊が呼びよせられたんだろうね…。

特別公開 さらにこんな写真も…

これは修学旅行の夜に撮影された1枚。右の男の子の手に注目。男の子の手をつかもうと壁のなかから伸びる不自然な手が写る。人間をつかもうとする手は、その本人をうらむ想いが強い証拠である。

危険度

シュ これは生霊かもしれない。男の子への強いうらみを感じるなぁ…。

心霊写真といっても怖いものばかりではない。
ご先祖様がメッセージを伝えているケースもある。

先祖のメッセージ

自宅で何気なく撮られた写真。弟をだっこする姉。このふたりの体全体をおおうように白いモヤがかかっている。この白いモヤからは悪い気は感じられない。姉弟たちの祖母がモヤとして写りこんだと思われる。

シュ ふたりを見守る温かい気持ちを感じるね。赤ちゃんのほうはおばあちゃんが近くにいることがわかり、そちらを見ているね。

特別公開 さらにこんな写真も…

新しい浴衣を着て撮影した1枚。ピアノのけんばんに注目。宙から伸びた手がピアノをひいている。これは3年前に病気で亡くなった女の子の母親が写りこんだと思われる。

危険度

シュ 女の子にピアノを教えていた母の姿が見えるなぁ。女の子が心配でしかたない未練の想いを感じる…。

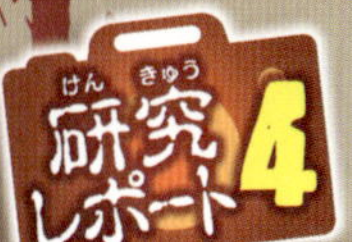

体の一部が消えていたり、二重に見える状態で写る場合、体になにか起こる暗示とされている。

体の一部に異変…

修学旅行中の写真。左奥に立つ女の子に注目。右足のひざ下あたりが消え、赤いモヤにおおわれている。これは近い将来、この女の子が右足をケガする暗示だ。完全に消えてしまっているわけではないので、大きなケガではないだろう。

危険度

シュ この女の子の守護霊が、足のケガに注意しなさいと、教えてくれているみたいだね。

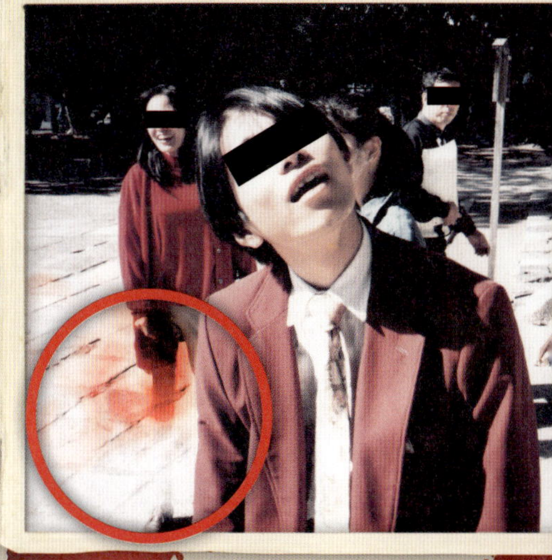

特別公開 さらにこんな写真も…

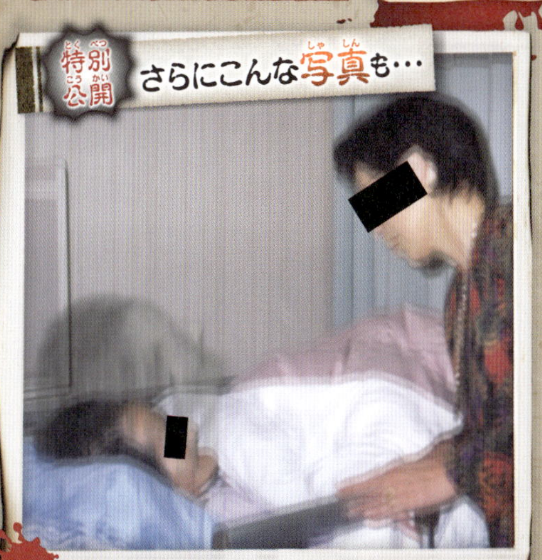

病室での1枚。ベッドで眠る女性に注目。宙に浮かんでいくすけた顔が見える。まるで幽体離脱しているようだ。この写真が撮影された深夜、女性の容態が悪化し、翌日に亡くなったそうだ。女性の死期が近いことを暗示しためずらしい心霊写真だ。

危険度

シュ 体も心も弱っているけれど、おだやかな気を感じるな。

研究レポート5

霊は強い怨念を伝えたい場合ほどハッキリ写りこむとされる。生霊の怨念が形になった可能性も高い。

ハッキリと写りこむ

展覧会会場をおさめた写真。写真右奥の窓に注目。宙に浮いている女の子がハッキリと写る。窓は高い位置にあるため、人間が立つのは不可能である。この会場の裏にはお寺があるという。そのお寺に眠る霊が、人が集まる楽しい雰囲気にひかれてよってきたのだ。

危険度

シュ 女の子のさみしい気持ちを感じるな。だれかに自分の存在を気づいてほしいようだね。

特別公開 さらにこんな写真も…

トイレで撮影した1枚。鏡の下側に注目。この場所にいないはずの男の子が、鏡にだけハッキリと写りこんでいる。これはこの場所で母親とはぐれ、行方不明になったまま亡くなった男の子の霊であろう。

危険度

シュ 自分が亡くなったことに気づいておらず、いまも母親を探しているみたいだ。強いさみしさも感じるなぁ…。

おまけレポート

激レアな心霊写真

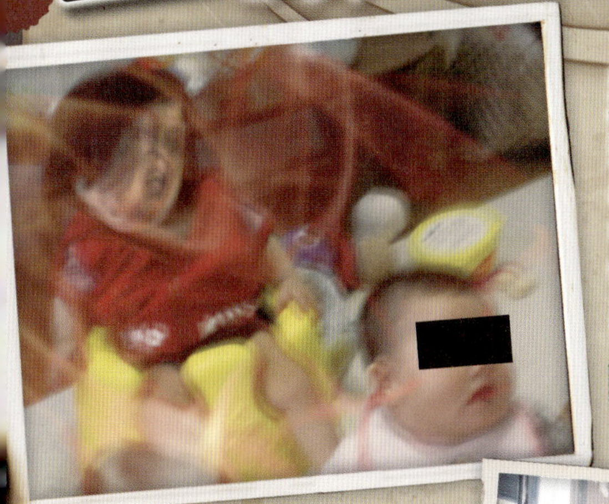

ふたりの赤ちゃんを撮影した写真。奥の赤ちゃんに注目。赤ちゃんの顔に老婆の顔が重なり、ひどくゆがんでいる。これはひとりさみしく亡くなり、成仏できずにさまよっている老婆の霊だろう。

危険度

シュ 幸せそうな赤ちゃんにとり憑こうとする邪念を感じる。

電車に乗る男の子を写した1枚。男の子をおおう黒い物体に注目。虫のような細かい物体が無数に飛びかっている。もちろん電車内に虫などいなかった。これは生霊の強い嫉妬や憎しみの念が、物体になって写りこんだものだろう。

危険度

シュ 男の子を憎む黒い気を感じる…。

心霊写真を撮ってしまったときは…

写真やデータ自体に霊はとり憑いてはいないのでむやみに心配する必要はないんだよ！

デジカメやスマホのデータ

すぐにデータを消去しよう。そして機械がこわれていないか確認すること。機械は霊の影響でこわれやすいため注意が必要なんだ。

プリントした写真

悪い気や心配する心をなくすためにも、いち早く手でビリビリとやぶり捨ててしまおう。

あと少しね
さあ早く
わたしたちの屋敷
に帰りましょ！
ミャー
ミャー
はっ
人間界が…
思ったより
深刻な状況だわ…
ザッ
いそいでそこへ
むかわないと…

このお話は197ページへ続きます……。

親友？ ライバル？

合格率No.1
青空進学塾
この近くにあるアンティークショップ
ぼくのおじさんのお店なんだ
え～っ
行きたい！
おいでよ！
ときどき手伝ってるんだ
原田くん今日も
かっこいい～♥
きゃ～っ
ねえ
行くでしょ？千世
もちろん！
ぬけがけはナシだよ！藍梨

と一ぜん！
千世はわたしの親友だもんっ
高価買取中！！
アンティーク雑貨・家具・照明
アンティーク ハラダ
xxx-xxx-xxx
行くよ藍梨
わぁ…
あの子たちも原田くんねらいなのかな…

原田くん
ここでお手伝い
してるんだよね
そう思うと
ドキドキしちゃう
これでまたカレに
一歩近づけたね
お客様たちは
とても
ラッキーですね
先ほど
めずらしい品物が
入荷したばかり
なんですよ
わあっ
かわいぃ～

フツー
じゃん?
この人形は持ち主の
願いをかなえて
くれるんですよ
藍梨って
おまじないとか
好きだもんね
ほしいんでしょー
う~ん…でも
高いな…
願いが叶う人形
¥3,980
片想いの恋も
思いどおりですよ

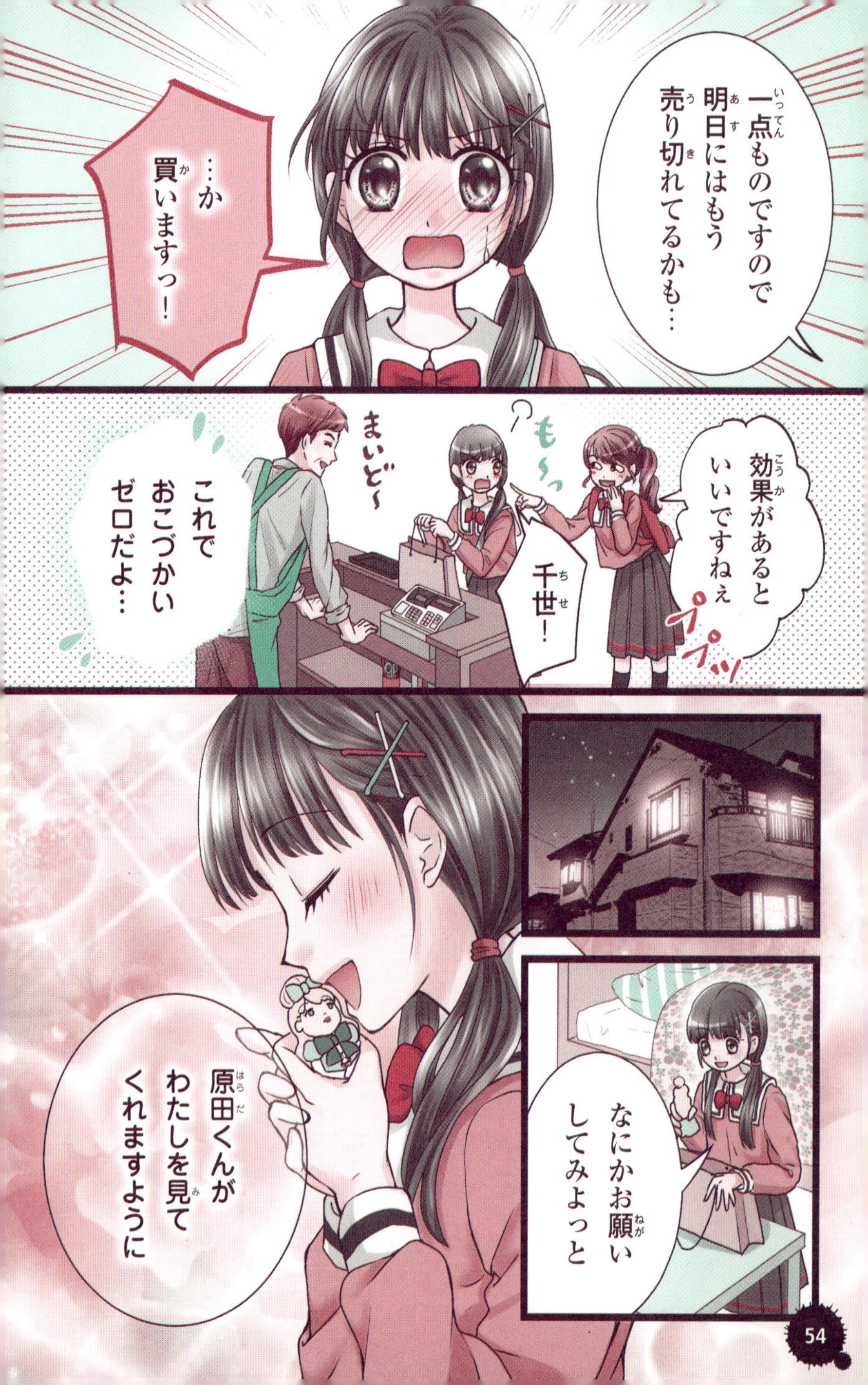
一点ものですので明日にはもう売り切れてるかも…
…か買いますっ！
効果があるといいですねぇ
ププッ
も〜っ
千世！
まいど〜
これでおこづかいゼロだよ…
なにかお願いしてみよっと
原田くんがわたしを見てくれますように

青空進学塾
じーっ
原田くんがずっとこっち見てる
きゅん
きゅん
文字式のきまり
×ははぶく
数字を先に
÷ははぶく
① x × 5 = 5x
② −1 × b = −b
③ 0.3 × x − y = 0.3x − y
④ 6 × a × a = 6a²
今日はここまでー
じゃー
ねえ

葉(は)っぱがついてる
あっ
ありがとう
これって人形(にんぎょう)のおかげかなぁ!?
いやただのぐうぜんだよね

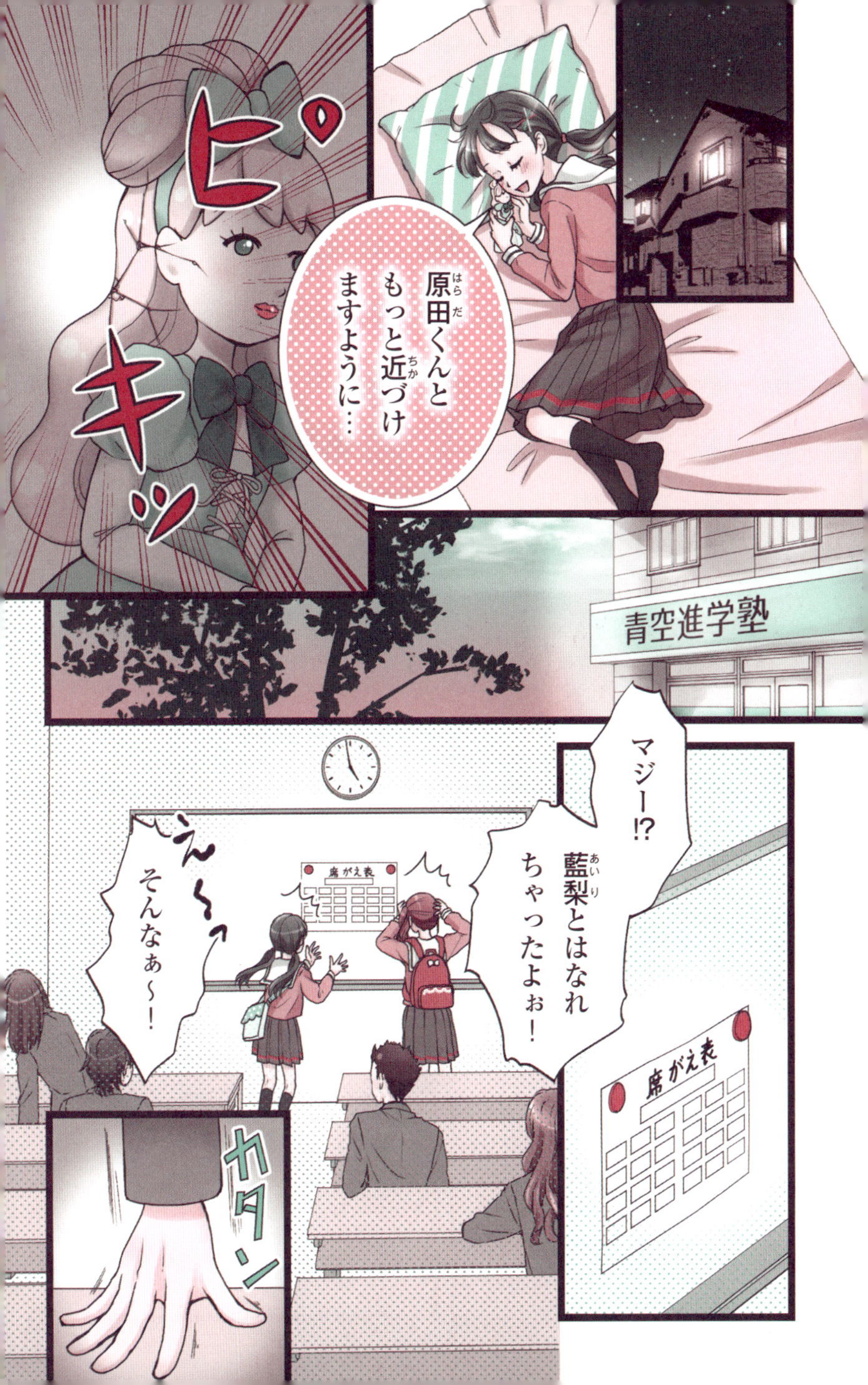
原田くんと
もっと近づけ
ますように…
ピ
キッ
青空進学塾
マジー!?
藍梨とはなれ
ちゃったよぉ！
えぇ～
そんなぁ～！
席がえ表
カタン

となりの席よろしくね
きゃあああっ！
あの人形ホントに効果あるかも！
原田くんといっしょに帰れますように…
…あれ？

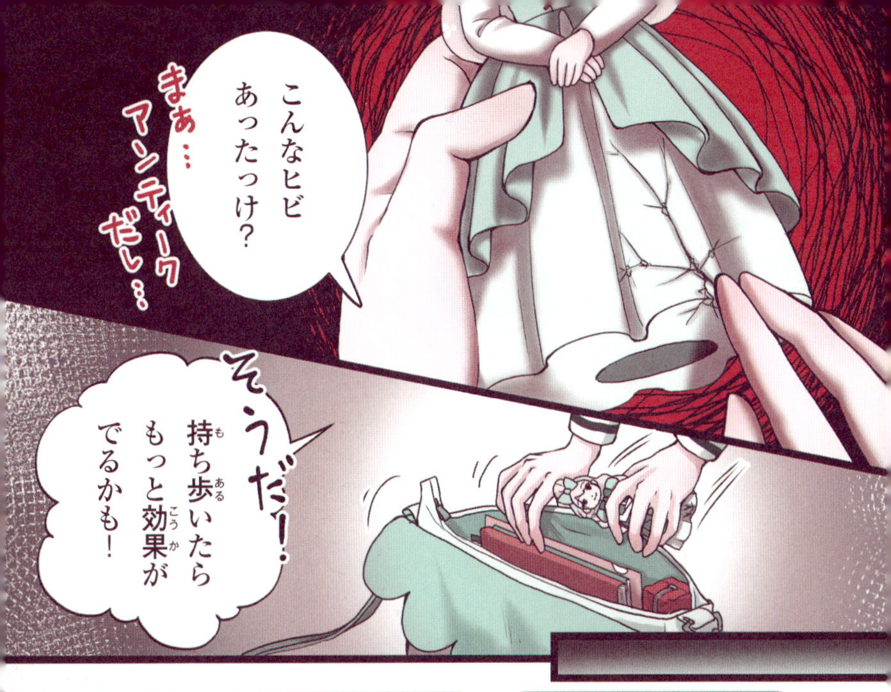
こんなヒビ
あったっけ?
まぁ…
アンティークだし…
そうだ!
持ち歩いたら
もっと効果が
でるかも!

これからは
古川さんも
いっしょに
帰らない?
いいの!?
きゃっ
きゃっ
もうすぐ体育大会でしょー
決めた?
同じのにしよーよ
ねぇ
せっかく
いっしょに
帰れたのに…
ちっとも
話せない
じゃない

あの子たちジャマ！
ババッ
ぎゅううう
原田くんとふたりきりで帰りたいの！
ほかの子はいっしょに帰れないようにしてっ!!
つぎの塾の日
青空進学塾
ねぇ
帰りにコンビニよりたいんだけど
今日は用事があっていっしょに帰れないの…
ごめんっ
おまたせー
行こっか

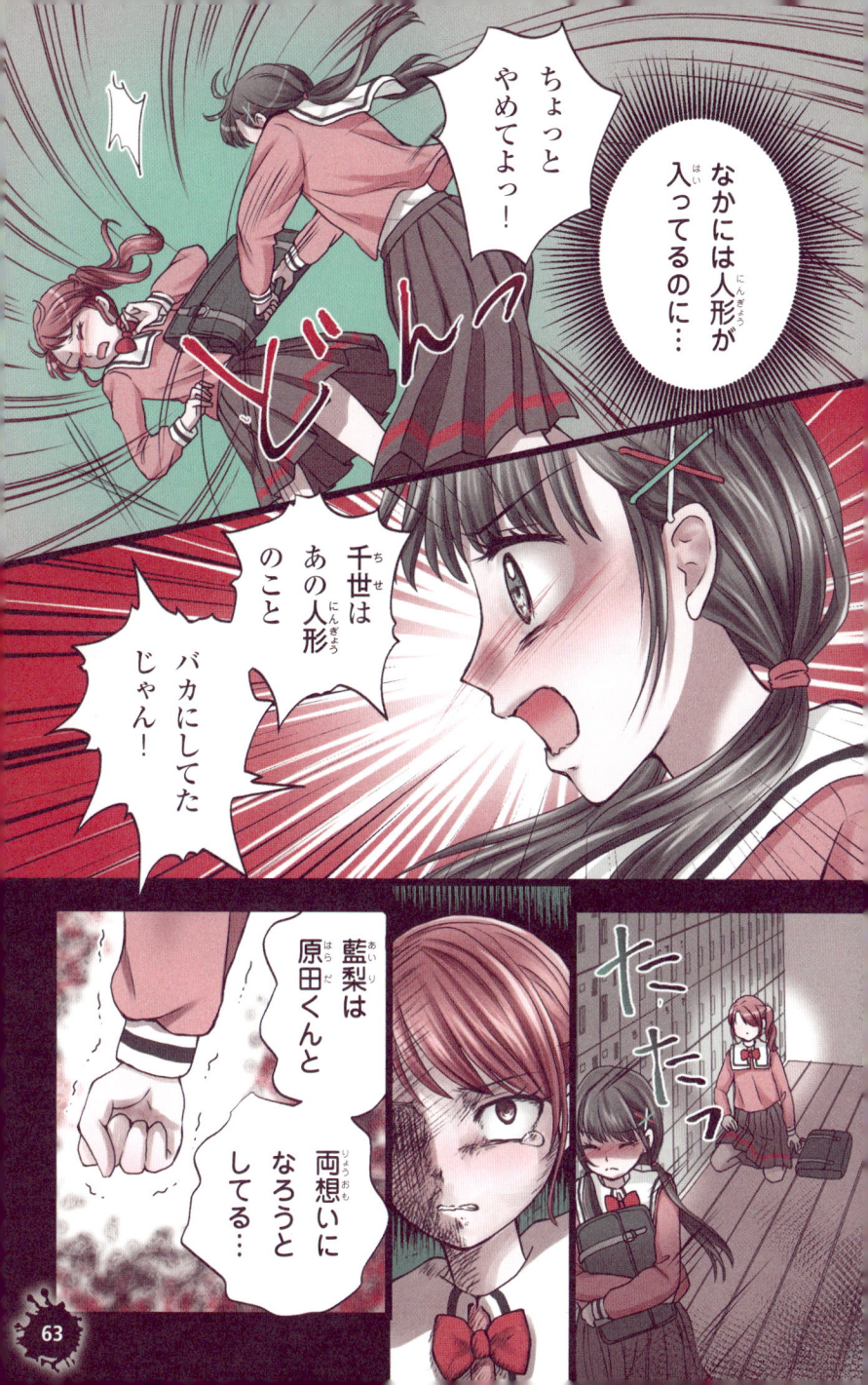

…ウソつき…
今日はみんないないんだ?
うん
島さんは塾やめちゃったし
宝田さんは車でお迎えだって
笹井さんは塾の日が別になったみたい
月火木金
それに…
古川さんとゆっくり話してみたかったんだ
原田くんとつきあうのも夢じゃないかも!
おはよー千世

ぬけがけはナシって言ったのに
原田くんがふたりでってって言ったんだもん
しかたないでしょ
…ねえ この前の人形使ってるの？
いきなりなに？
そんなわけないじゃん！
ただのぐうぜんだよ
だって最近いいことばっかり起きてない？
藍梨ばっかりズルイよ！
いま持ってるんでしょ？
じゃあ人形貸してよ！
じじ

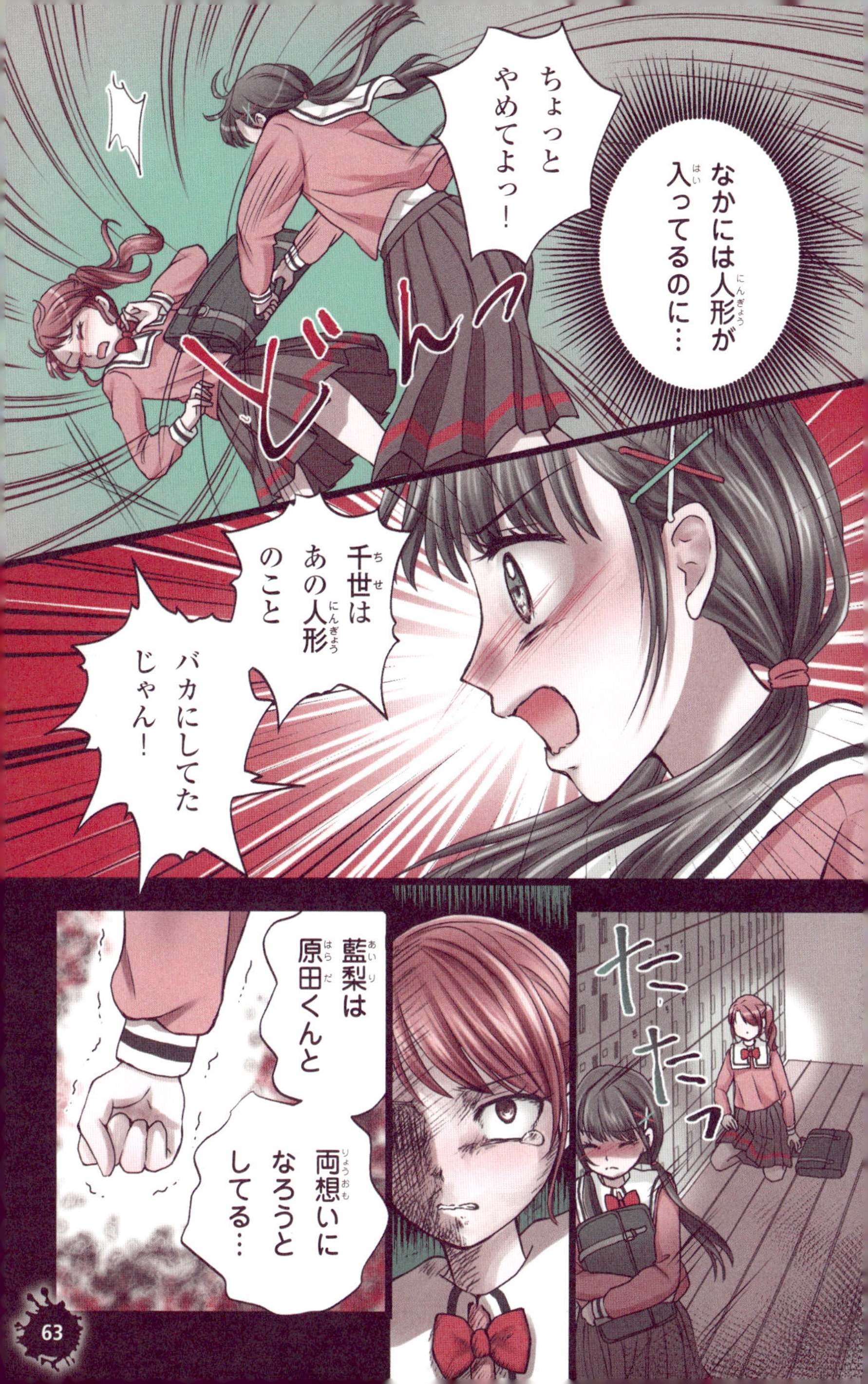
なかには人形が入ってるのに…
ちょっとやめてよっ!
どんっ
千世はあの人形のことバカにしてたじゃん!
たたっ
藍梨は原田くんと両想いになろうとしてる…

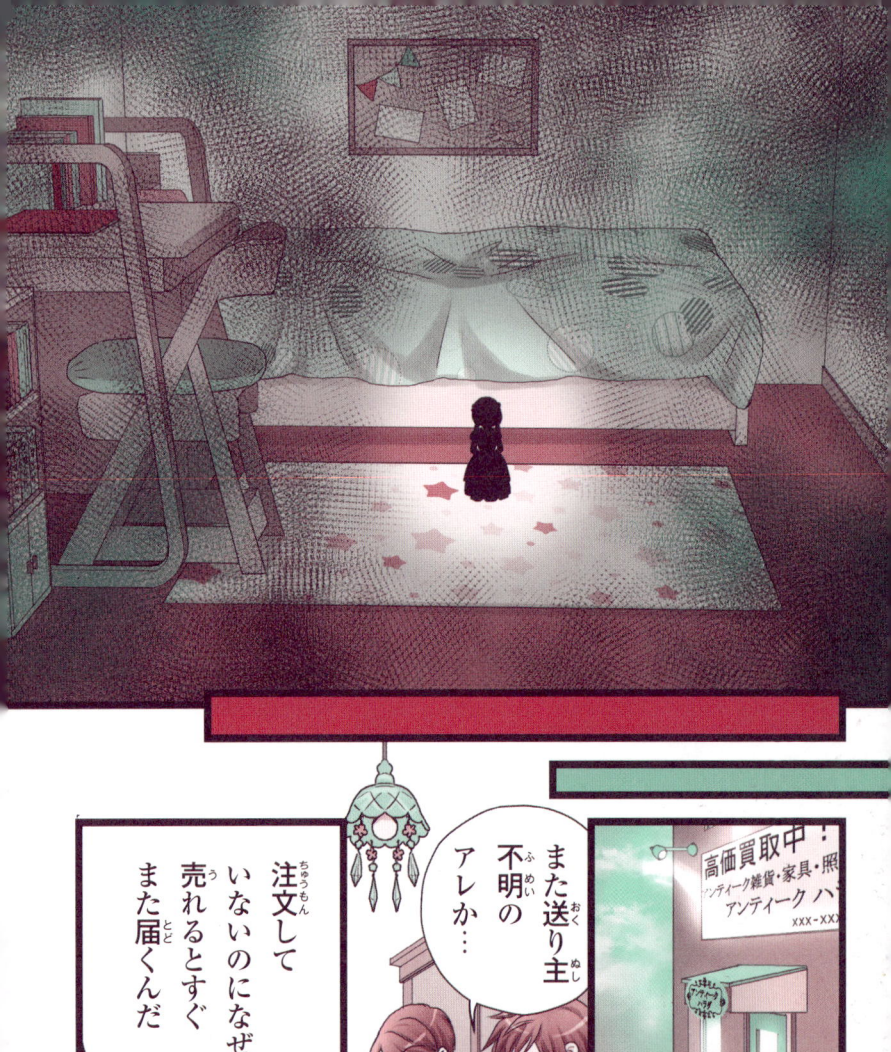

ヤバイ
千世に
あやしまれてる
千世が人形を
あきらめるように
願わなきゃ
合格率No.1
青空進学塾
人形が
ない
…あれ
どこかで
落とした
のかな?
ハァ!?
千世ったら
なにしてるの!

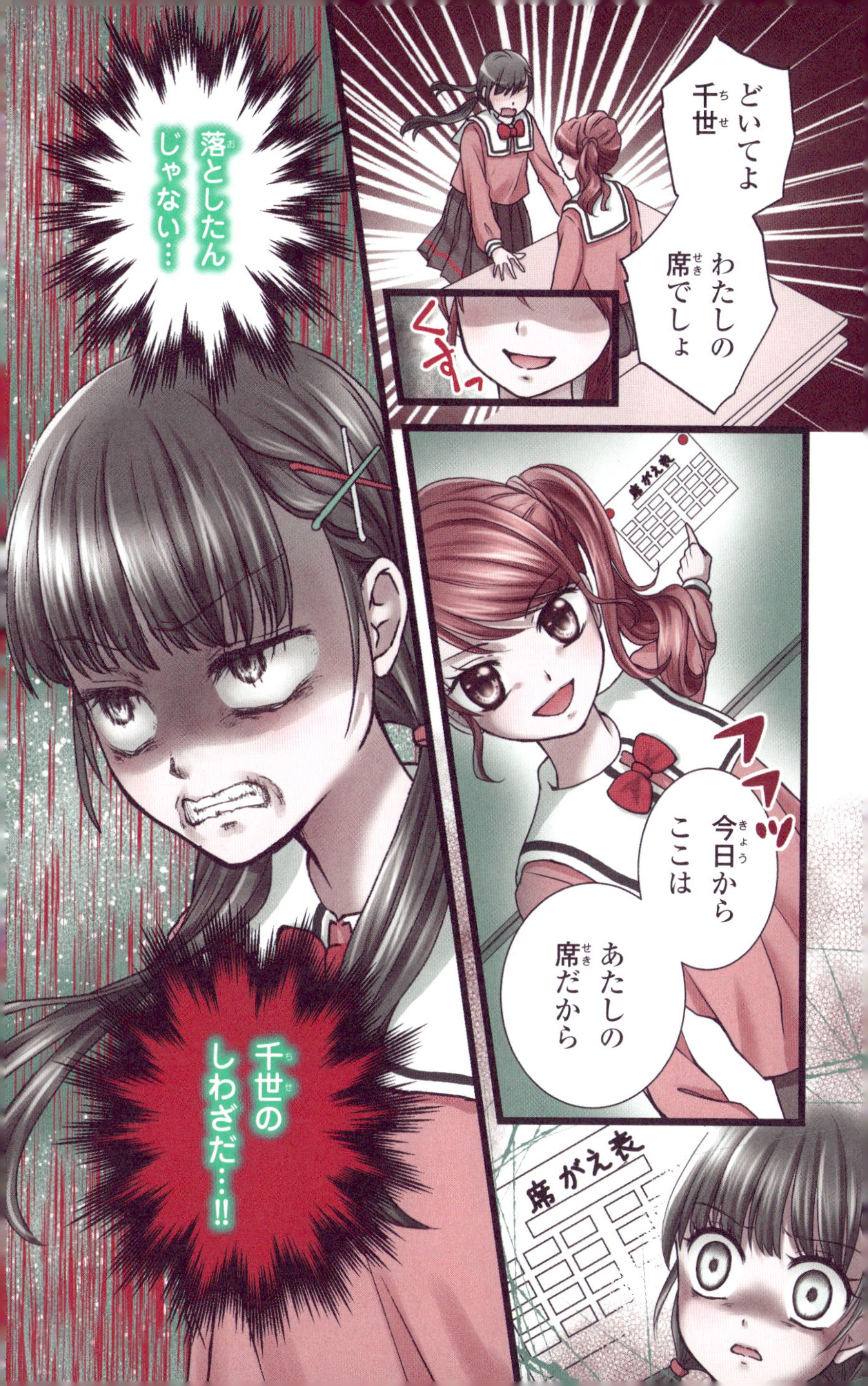

どいてよ千世(ちせ)
わたしの席(せき)でしょ
くすっ
落(お)としたんじゃない…
今日(きょう)からここは
あたしの席(せき)だから
ファッ
席がえ表
千世(ちせ)のしわざだ…!!

ピンポーン
ピンポーン
ドタ
ドタ
千世がとったんでしょ!?
バン
早く人形を返してよ!
やっぱり!
ぬすむなんてサイテー!!
あんたこそ
使ってないだなんて
ウソつきっ!

人形になにを願ったの!?
裏ぎり者に教えるもんかっ!
ピキ
この人形は
ピキ
ピキ
原田くんが
千世をキライになりますように
はっ
わたしのなんだから!

ピキ
ピキ
なんてこと願うのよ！
だったらあたしも！
藍梨が原田くんと会えなくなりますように!!
ピキ
ピキ
ごとんっ
バリ
きゃっ

なにこの人形
こんなものが
な…なかに…
カッ
きゃあああああっ

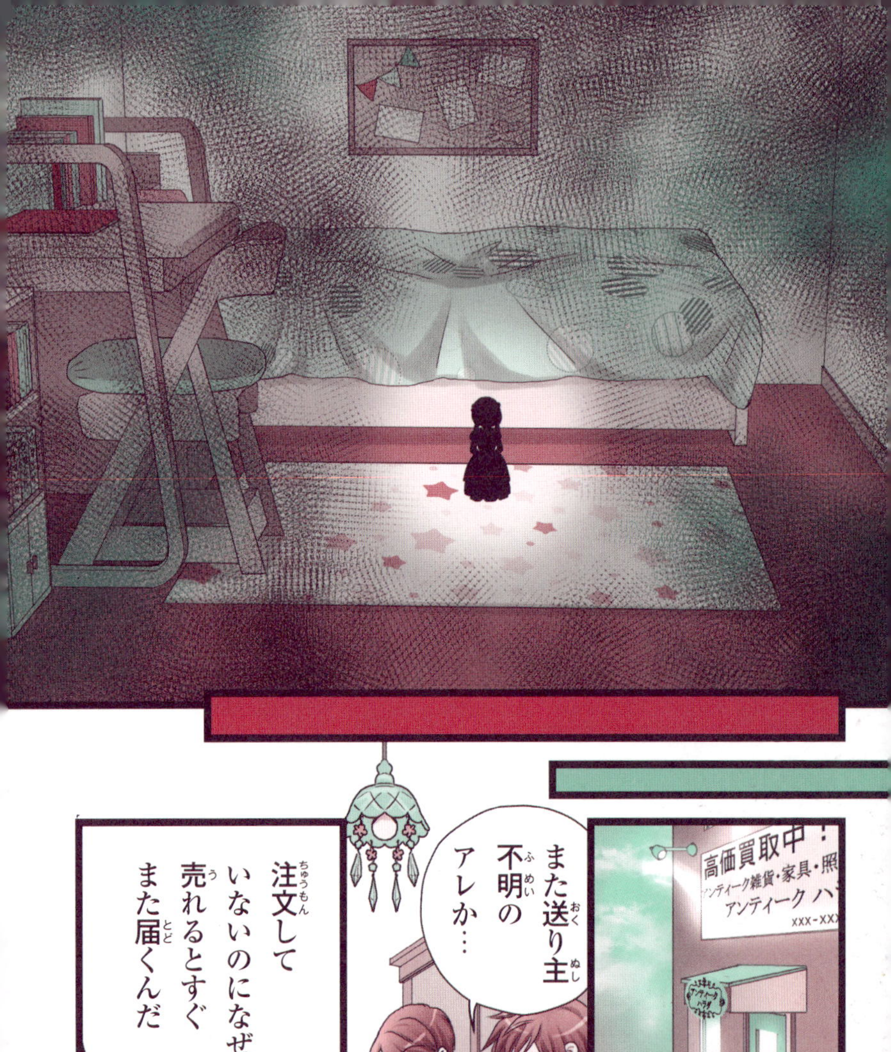

高価買取中！
アンティーク雑貨・家具・照
アンティーク ハ
また送り主不明のアレか…
ああ
その人形…
注文していないのになぜか売れるとすぐまた届くんだ

なんだか気味が悪いね
カタッ
願いが叶う人形
¥3,980
まぁうちはもうかるから問題ないけどな！
ハハハ
それより
みんなにうちの店の宣伝をよろしくな！
おまえのおかげでよく売れるんだよ
女子って本当にこういうの好きだよねぇ
ワーキャー
ヤーハハハ

公衆電話

公衆電話ボックスにひとりで入って
自分のスマホへ電話すると「別の世界」に
つながっちゃうことがあるらしいよ…。

ギイ…
ガタン
10円をここにいれて…
チャリン
自分のスマホに電話する…と
カシャ
カシャ
トゥルルルル…
ブブブ…
ブブブ…
こんなのつながるわけないじゃんっ
ブブブ…
やっぱりウソか…
ブブブ…
ブブブ…
17:02
公衆電話
10円
100円

ガチャッ
…し…もし
!!
ガチャンッ
つながっ…た…？
⁉
スマホがない！

うそっ…
なんで…
ぞくっ
!
ドクン
ドクン

もしもし
だあれ？

ネガティブ言霊

ガヤ
ガヤ
ぼくら1班はつぎのあお葉新聞でメイン特集を担当します
特集は前回にひきつづいて『心霊現象リアル調査』です！
特集内容『心霊現象リアル調査』
フッ
あの特集ってべつにおもしろくなかったよね
じゃあ原田さんほかにいい特集考えてよ

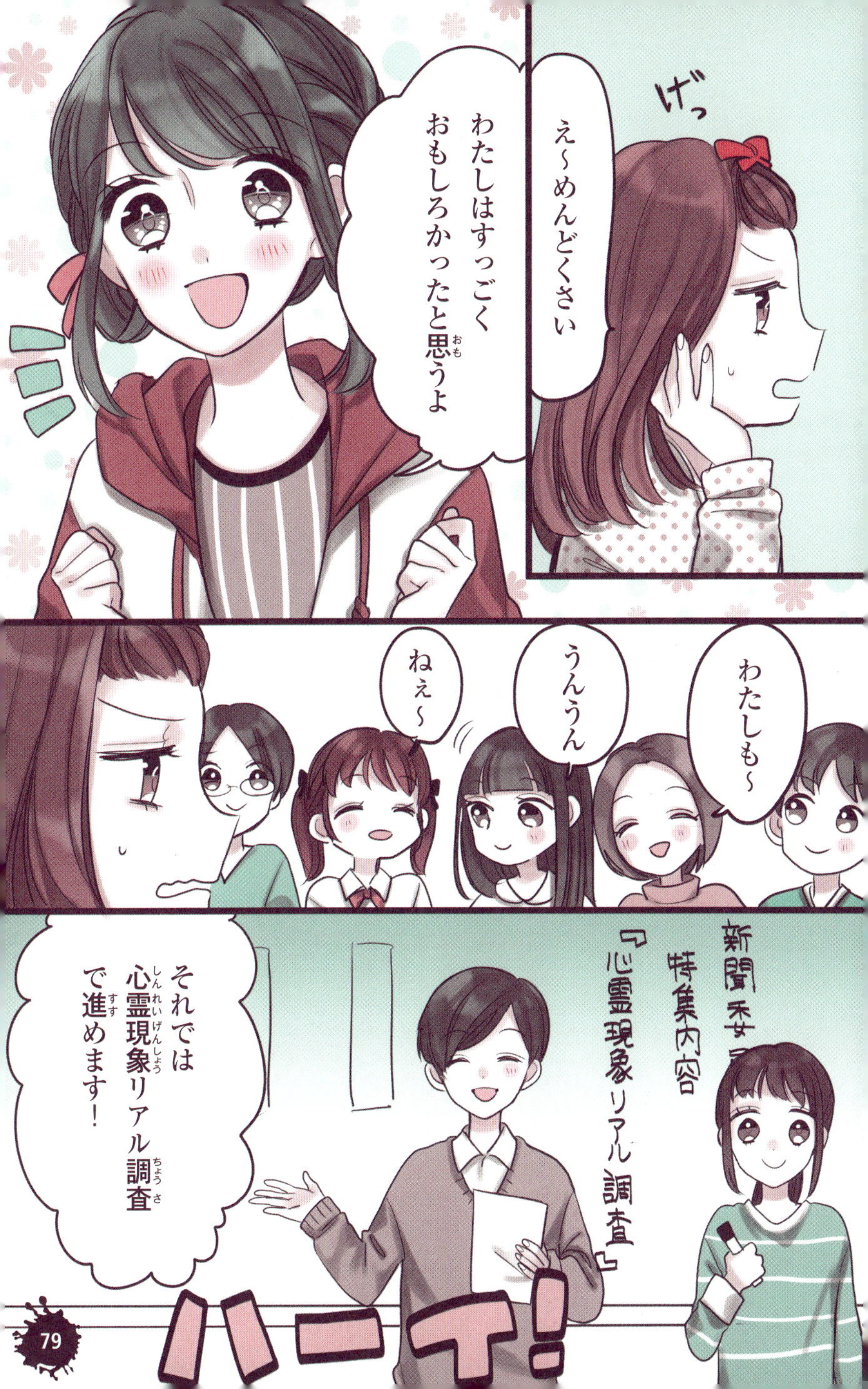
げっ
え～めんどくさい
わたしはすっごく
おもしろかったと思うよ
わたしも～
うんうん
ねぇ～
新聞委
特集内容
『心霊現象リアル調査』
それでは
心霊現象リアル調査
で進めます！
ハーイ！

3グループにわかれて
ウワサの心霊スポットに
行ってください
3丁目の廃病院
西口公園のトイレ
倉田山旧トンネル
やりたい調査に
名前を書いて
くださいね
新聞
募集内容
『心霊現象リアル調査』
3丁目の廃病院
西口公園のトイレ
倉田山旧トンネル
どれにする！？
きゃっ
きゃっ
わー
わー
くだらない…
こんなのどうせ
ウソなんだから…
原田さんだけ
名前書いてないよ…

あまったやつでいいです
どれもやりたくないし…
ムッ
原田さんって
やな感じ…
・山本
・鈴木
・笹本
・原田
美結ちゃん笹本さん
よろしくね！
お願いします
ボソ
よろしく…

わたし…心霊スポットはけっこうくわしいんですけど
う～ん…
倉田山旧トンネルってはじめて聞きますね…
へぇ～そうなんだ
ねぇ
こんなくだらないことさっさと終わらせようよ
これ委員長がまとめてくれたみたい
資料
見てみよう

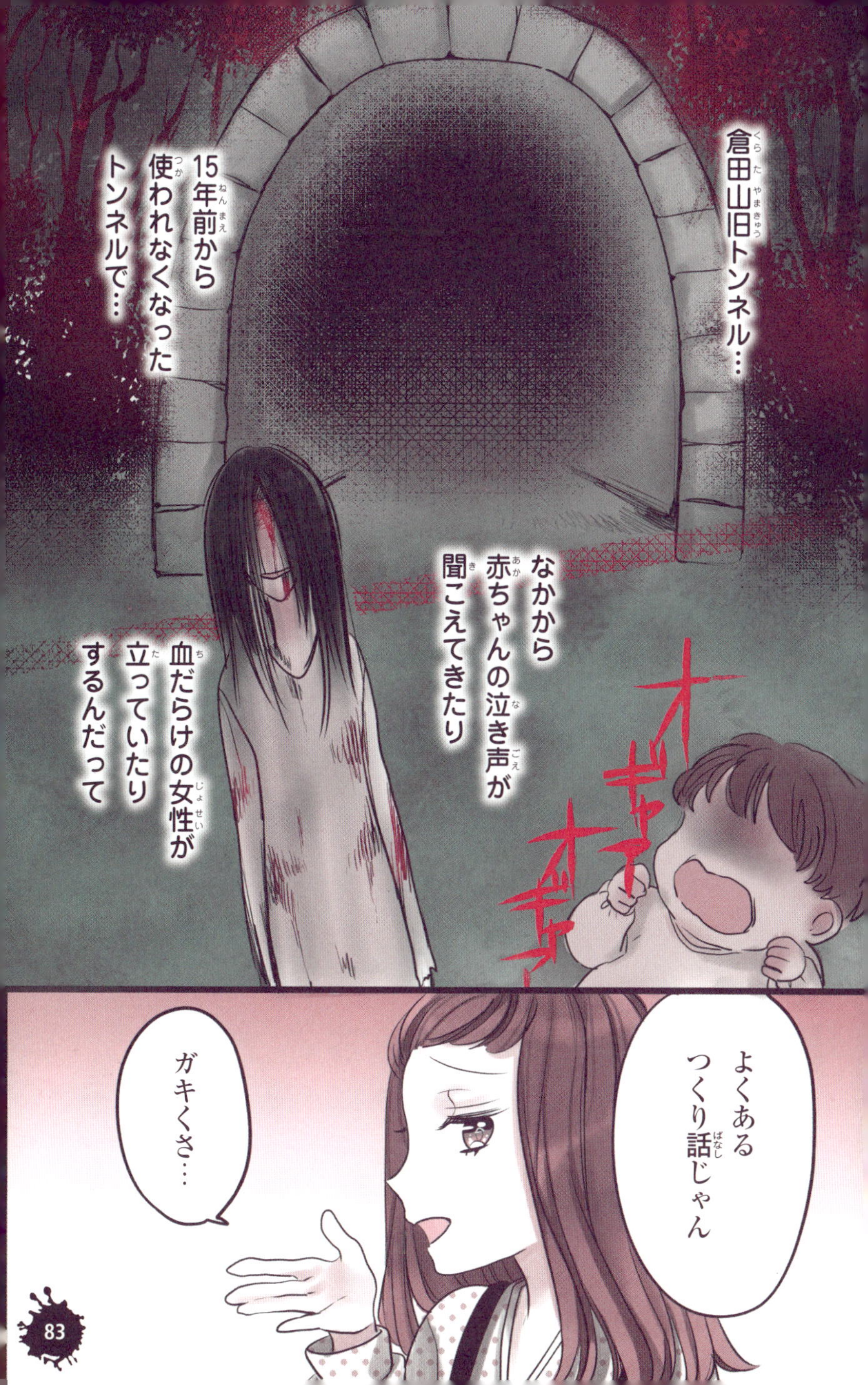
倉田山旧トンネル…
15年前から
使われなくなった
トンネルで…
なかから
赤ちゃんの泣き声が
聞こえてきたり
血だらけの女性が
立っていたり
するんだって
オギャア
オギャア
よくある
つくり話じゃん
ガキくさ…

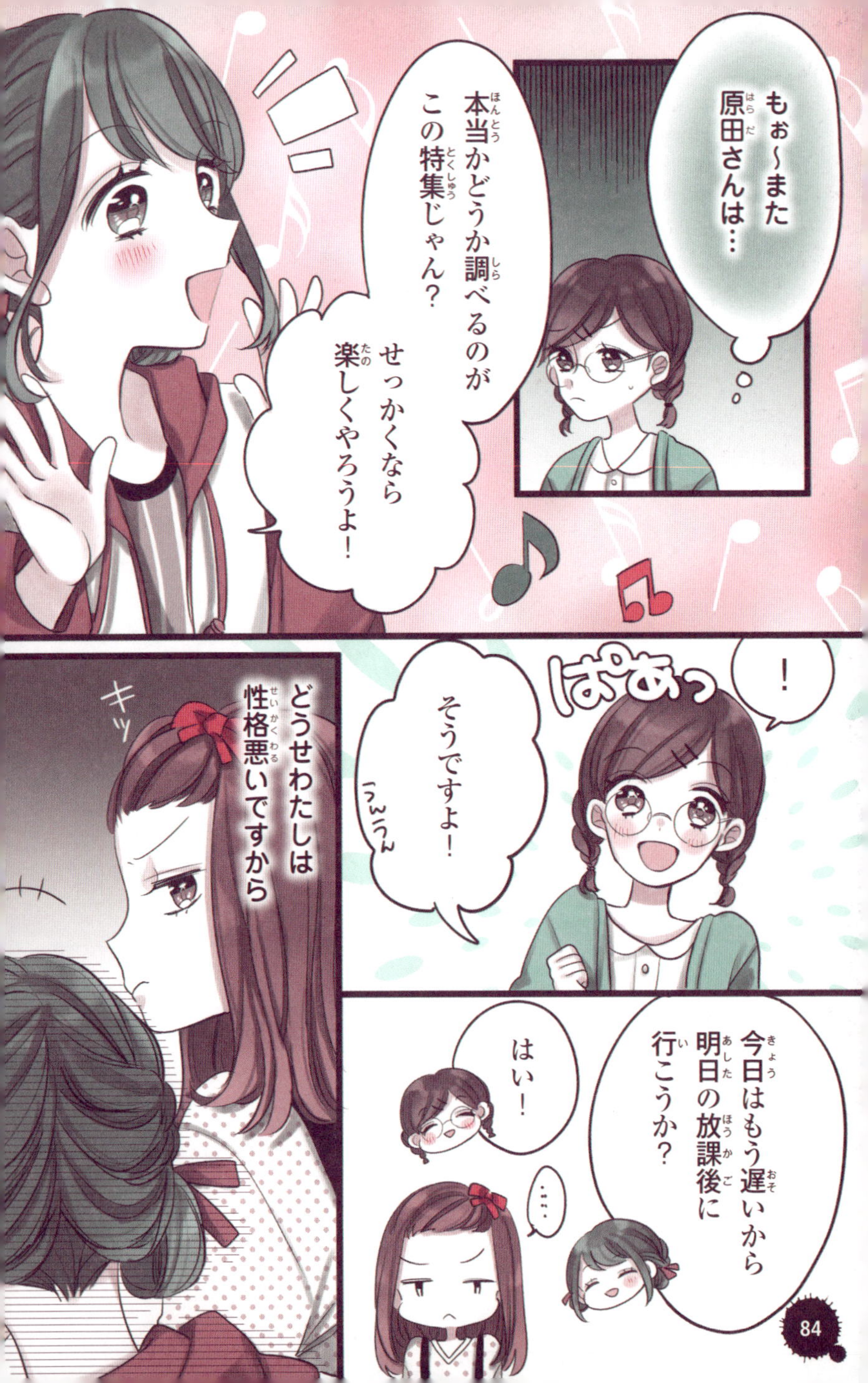
もぉ〜また原田さんは…
本当かどうか調べるのがこの特集じゃん？
せっかくなら楽しくやろうよ！
ぱあっ
！
そうですよ！
うんうん
キッ
どうせわたしは性格悪いですから
今日はもう遅いから明日の放課後に行こうか？
はい！
……

わあ
まっ暗…
やっぱり少し
ドキドキしますね
入口の写真
撮らなきゃ
3人で行くから
平気だよ！
笹本さん…
怖がってる…
帰りは3人
じゃないかもね…
くす…

美結ちゃん
ここではふざけたり
しないほうがいいよ
なっ…なによ
明るい空気にして
あげたんでしょ
言霊って知ってる?
ことだま?
人が発する言葉には
力が宿るとされるの
美しい言葉のまわり
にはプラスの気
ありがとう
すてきだね
悪い言葉のまわり
にはマイナスの気
バカ
きらい
ネガティブな発言も
マイナスの言霊になって
悪い気を呼びよせる
らしいよ

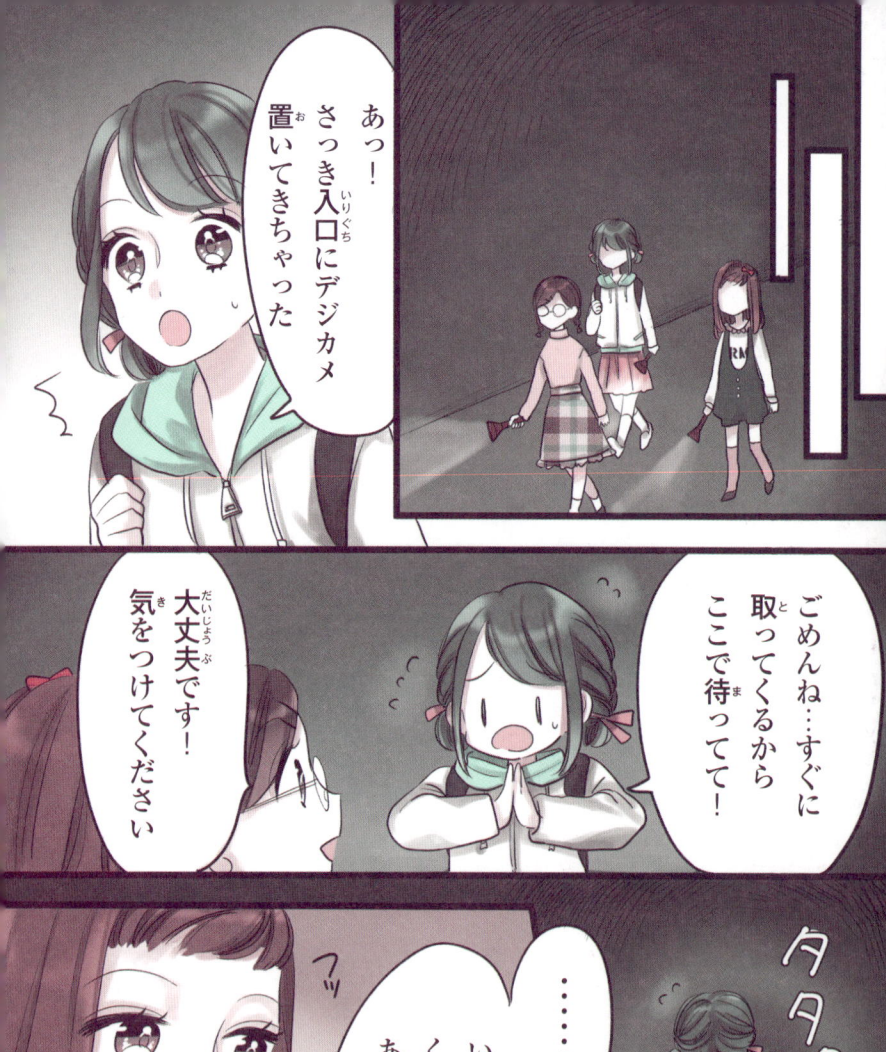

ネガティブって?
うしろむきだったり
人を傷つける考えのこと
だから美結ちゃん
気をつけないと
それに心霊スポットで
不吉な話はダメって
聞いたことがあります
な…なによ
ふたりして…

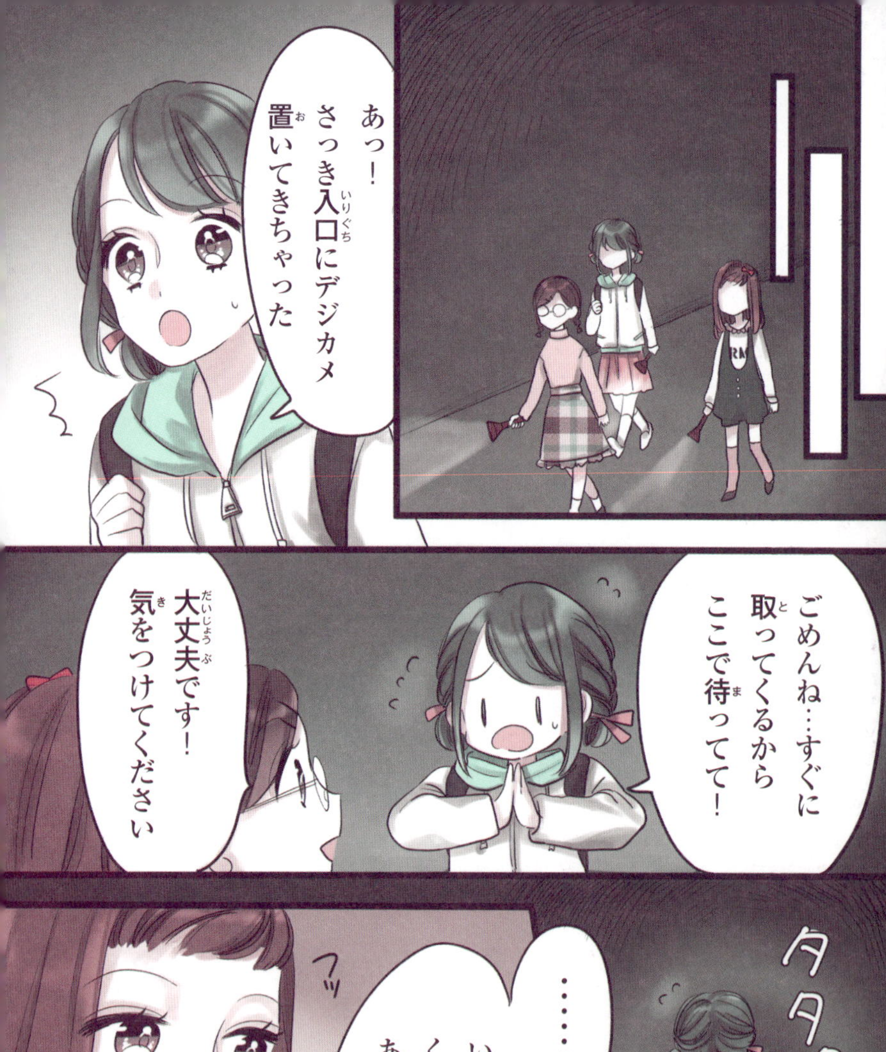
あっ！
さっき入口にデジカメ
置いてきちゃった
ごめんね…すぐに
取ってくるから
ここで待ってて！
大丈夫です！
気をつけてください

タタタッ
フッ
……
いつもえらぶってる
くせに…鈴木って
あんがいドジかも…

トンネルにひとり
とじこめられたら
最悪だよねぇ…
！
怖がらせようとしても
ムダですからっ！
気づいたらまわりによってきて
霊が
さっきから…
なんなんですか
霊たちに足首を
ぐっとつかまれる…
やめてくださいっ！
鈴木さんの話
聞いてなかったんですか⁉

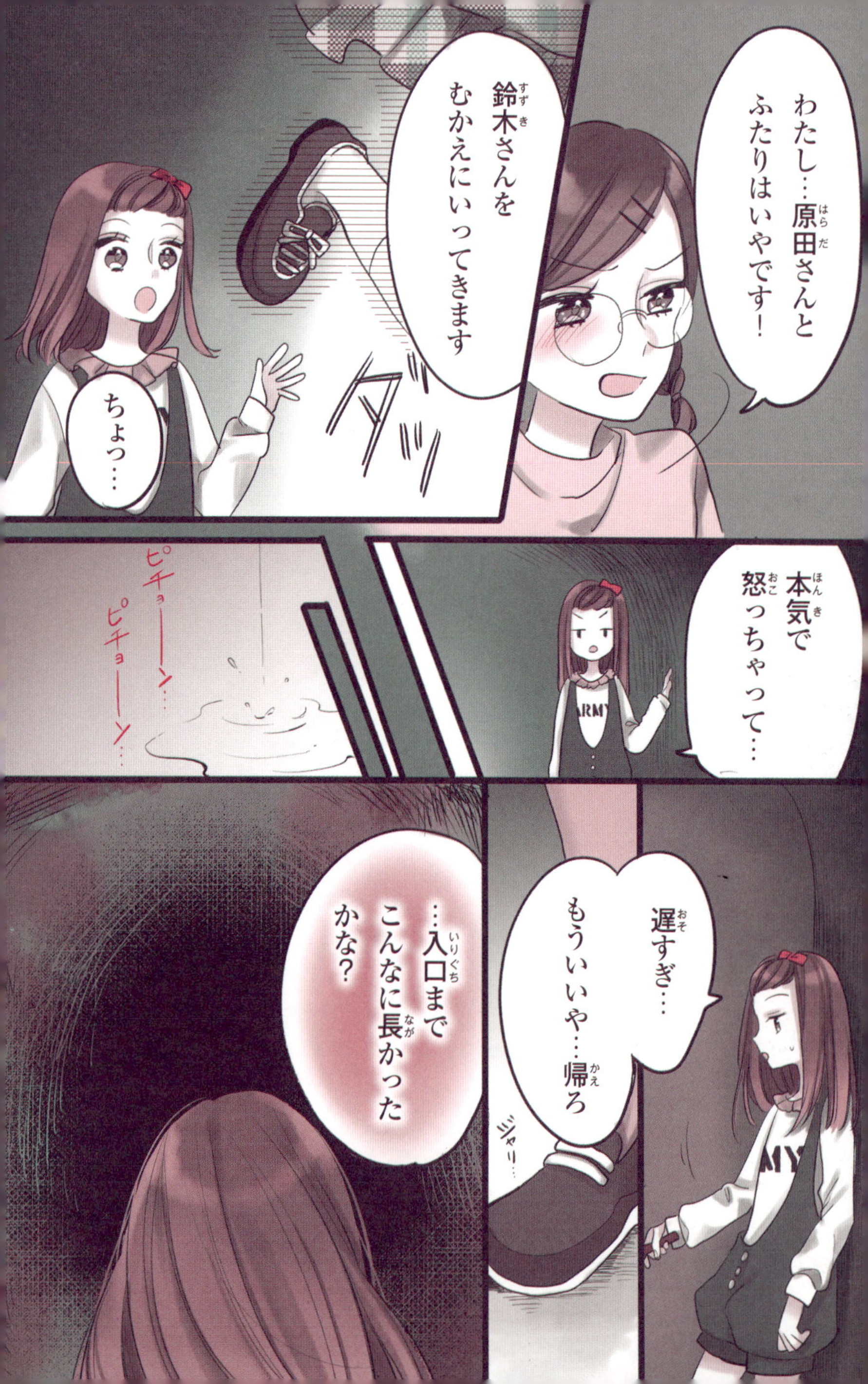
わたし…原田さんとふたりはいやです！
鈴木さんをむかえにいってきます
ダッ
ちょっ…
本気で怒っちゃって…
ピチョーン…
ピチョーン…
遅すぎ…
もういいや…帰ろ
ジャリ…
…入口までこんなに長かったかな？

委員長！
美結ちゃんが
消えたんです！
早く来て!!
ふたりでトンネルへ
もどったら
だれもいなくて…
先に帰ったんだろ？
原田はそういう
性格だから…
でも…
もしかしたら霊に遭遇して
それで…それで…
サーッ
ああ大丈夫！
倉田山旧トンネルは
心霊スポットじゃ
ないから
えっ!?

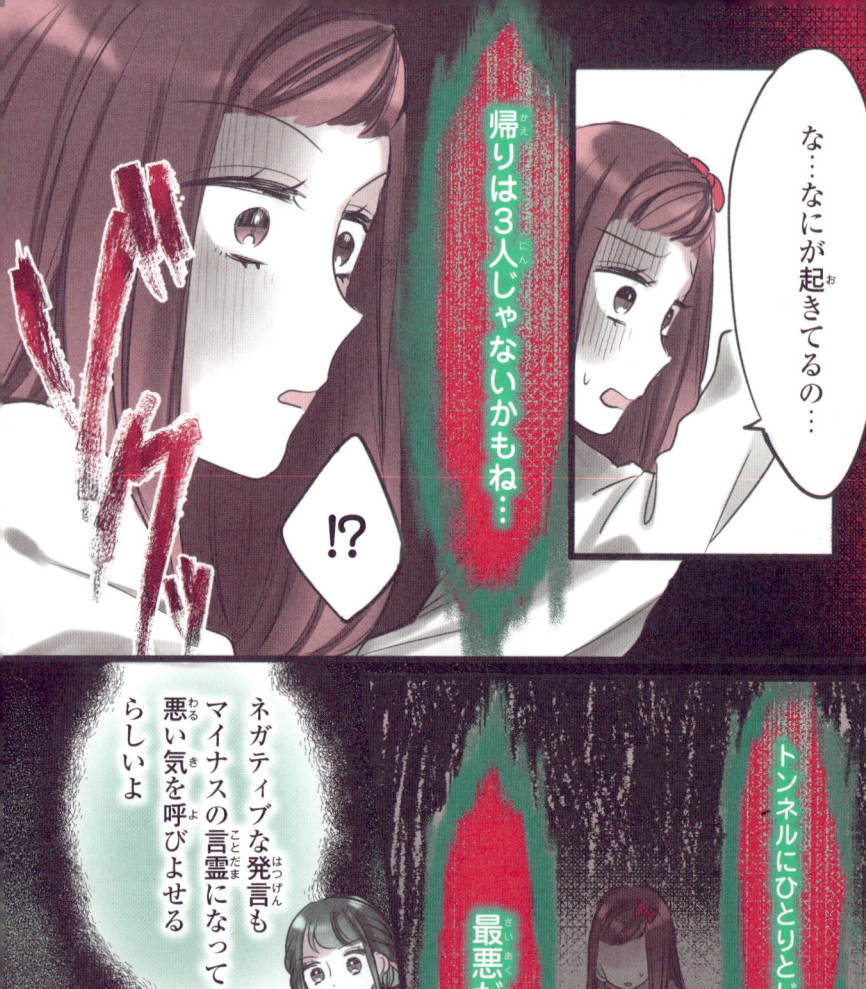

じつは特集のネタがたりなくてぼくが勝手に考えただけなんだ
ホッ
なんだぁ～心霊スポットじゃないなら安心しました…
はじめて聞くウワサだったからおかしいとは思ったんですよね
ごめんごめんおつかれ
でも記事はどうするかな～
はぁっ　はぁっ
あっ！
はぁ
あいつら…っ
ドンッ

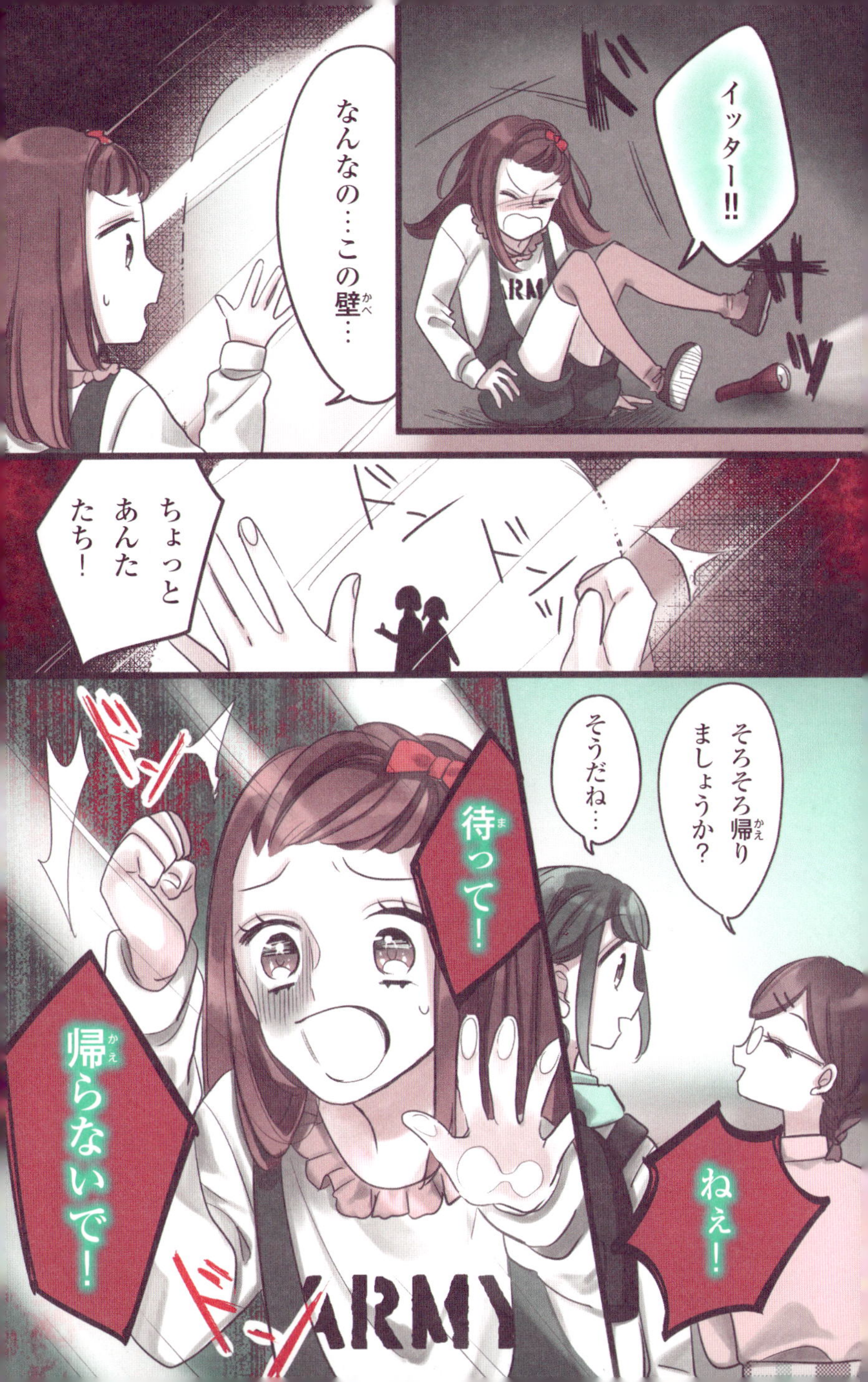
イッター!!
なんなの…この壁…
ちょっと
あんた
たち！
そろそろ帰りましょうか？
そうだね…
待って！
帰らないで！
ねえ！
ARMY

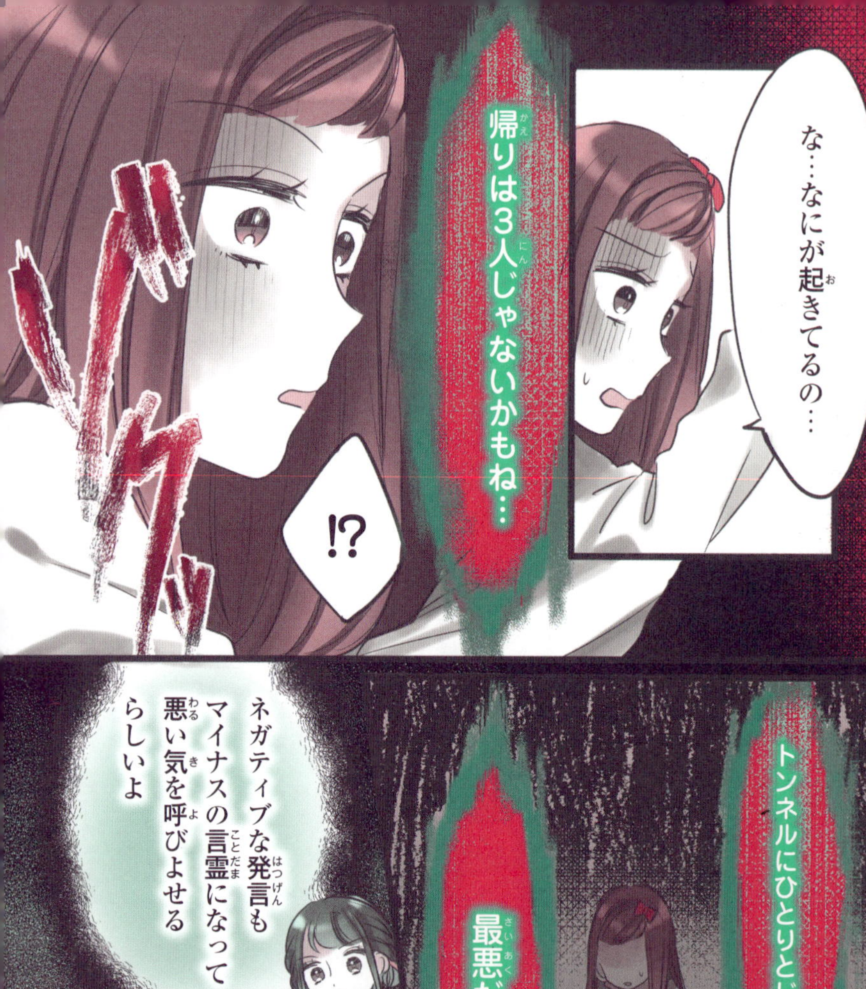
な…なにが起きてるの…
帰りは3人じゃないかもね…
!?

トンネルにひとりとじこめられたら
最悪だよねぇ…

ネガティブな発言も
マイナスの言霊になって
悪い気を呼びよせる
らしいよ

それに心霊スポットで
不吉な話はダメって
聞いたことが
あります

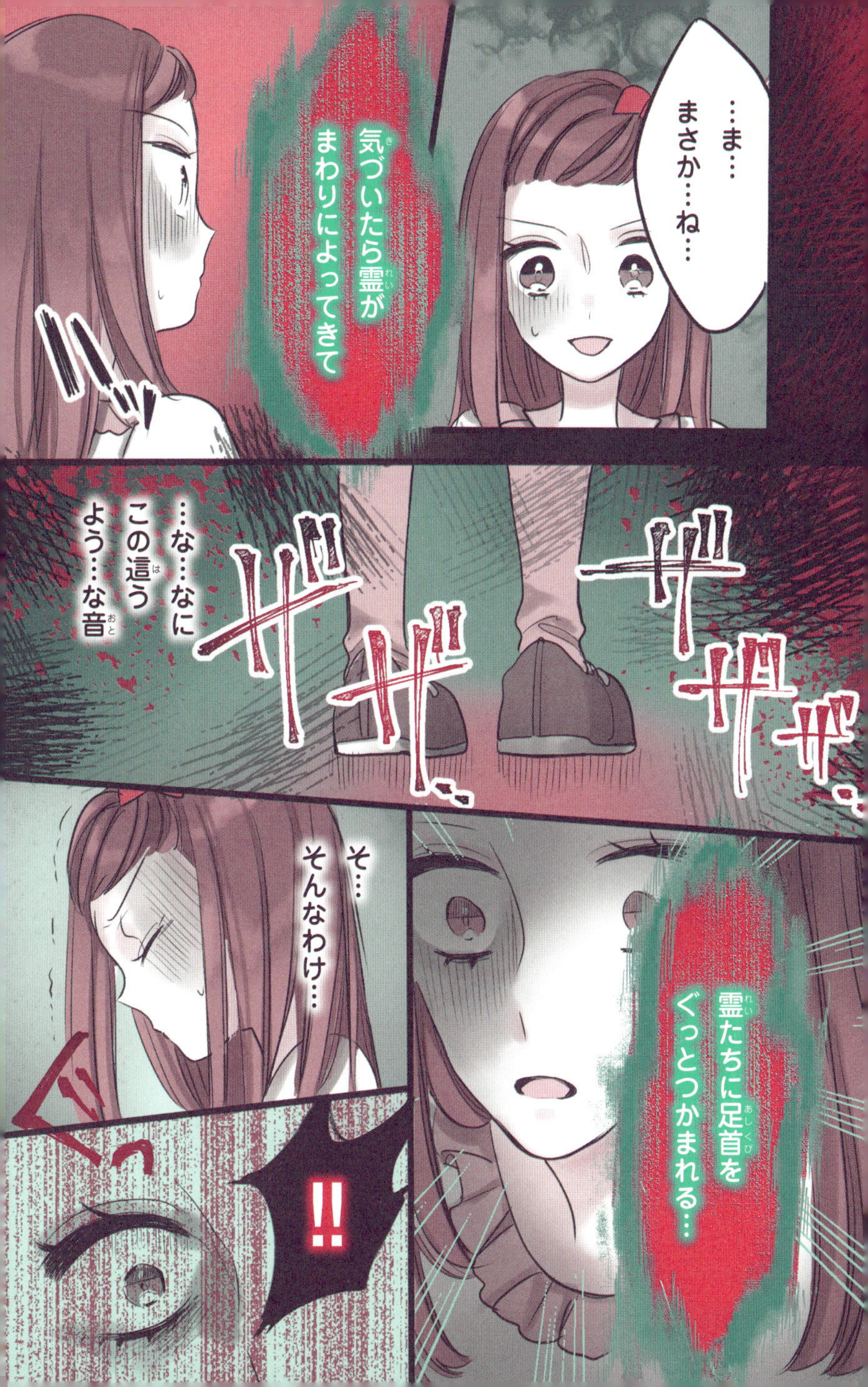
…ま…
まさか…ね…
気づいたら霊が
まわりによってきて
ザザザ…
ザザ…
…な…なに
この這う
よう…な音
そ…
そんなわけ…
霊たちに足首を
ぐっとつかまれる…
!!

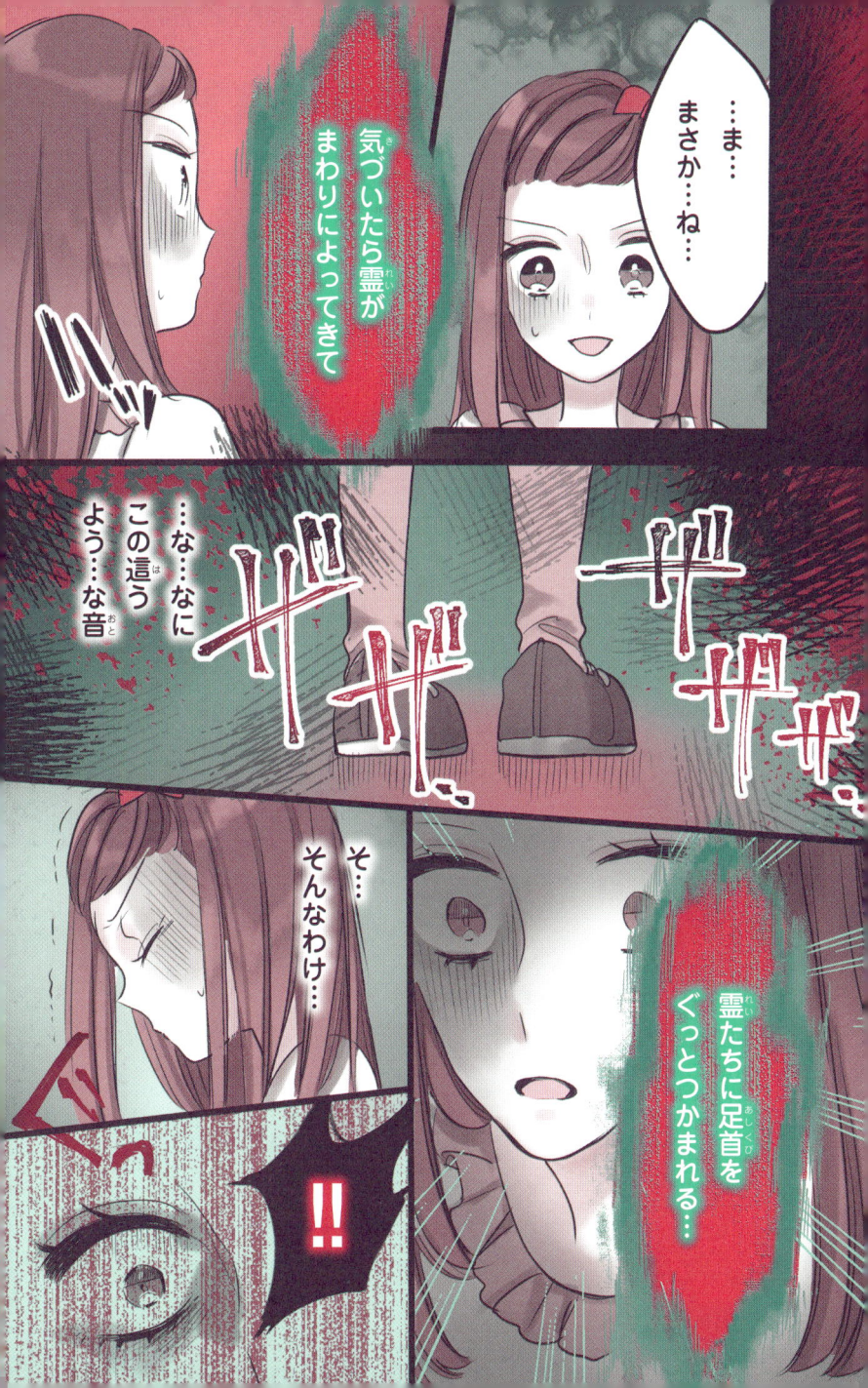

あなたの眠る直感力を呼びおこそう！

不可思議なダウジングの世界

人間にはだれにでも直感（頭で考えずにピンとうかぶ感覚）
という能力があるの。これから紹介するのは、この直感を使って
あなた自身も気づいていない心の声を聞く
不可思議なダウジングの世界よ…。

ダウジングって…？

ペンデュラム（振り子）というものが
あなたの質問に応じて、ゆれ動くの。
これってとても神秘的だと思わない！？
あなたの心にある無意識の直感が
手に伝わり、ペンデュラムを動かすの。
霊とはいっさい関係ないから
怖がる必要はないわよ。
楽しんでトライしてちょうだい！

準備を整えよう！

まずは最初にダウジングに必要なものの準備と
ダウジングをするときの基本のルールをおぼえてね！

ダウジングに使うもの

ペンデュラム

振り子のこと。
今回は手作りするよ！

※作り方は99ページ

浄化オンブロップ

ペンデュラムを保管する入れものにしたり、110ページのおまじないで使うよ。

※作り方は111ページ

ダウジングシート

※本のいちばん最初にあるよ。切り取って使おう。

練習や占いをするために必要なシート。この図のどこにペンデュラムが動いたかによって、占いの結果がわかるんだよ。

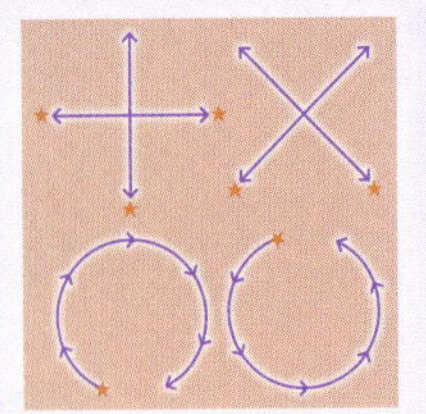

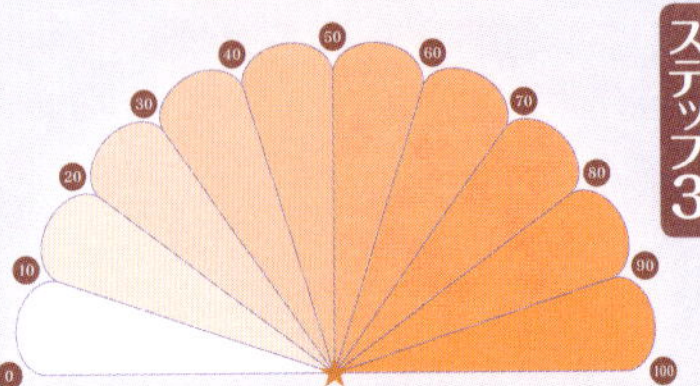

ペンデュラムの作り方と保管方法

用意するもの

- 5円玉…3枚
- 糸…30cm×2本

1 水道水で5円玉を洗い、ハンカチで水気をよくふきとる。
2 2本の糸をキレイにそろえよう。
3 重ねた3枚の5円玉の穴に糸をとおして、糸のはしを結ぶ。

1 糸の片ほうを10cmくらいにしてね。
2 糸のはしとはしを1回からめて強く結ぼう。
3 もう一度糸のはしとはしを1回からめて強く結ぼう。
4 短いほうの糸を結び目の近くで切ろう。

保管方法 ダウンジングをやらないときはこのペンデュラムを浄化オンブロップに入れて机や棚にしまおう。

ダウジングの約束ごと

1回15分まで。体調が悪い日はやめてね！
➡ 目がまわったり気分が悪くなったらすぐにやめよう。

ペンデュラムが動かないときは、ムリして続けないで！
➡ 日をあらためてトライしたほうがうまくいくよ。

答えを頭で願いながらやるのはダメだよ！
➡ なにも考えずに直感力を使うのがダウジングのポイント。

だれかの不幸を占うなどイジワルな質問はやめよう！
➡ 自分やみんなのためになる、前向きな質問をしてね。

ダウジング
入門

ペンデュラムを動かそう！

占いの前にまずはペンデュラムを動かす練習から。
練習をすれば、だれでも自然に動くようになるよ！

練習その1 線にそって動かす

ダウジングシートの ステップ1 を使うよ

これらはほかの占いでも基本になるよ！

正しいすわり方

ダウジングシートはまっすぐなむきで置き、背筋を伸ばしてイスにすわろう。足をくんですわるのはダメだよ。

ペンデュラムの持ち方

5円玉から
10～12cmあたりを
つまもう。
意識は5円玉に
集中させてね。

利き手の親指と人指し指で糸をつまみ、あまった糸は軽くにぎろう。腕の力はぬいてね。

スタートの前に

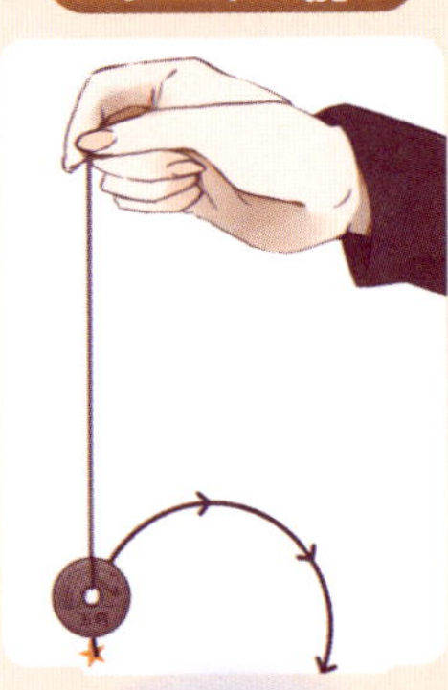

5円玉の中心（糸の真下）をシートの★マークにあわせよう。5円玉がピタっと止まった状態にしてね。

【やり方】

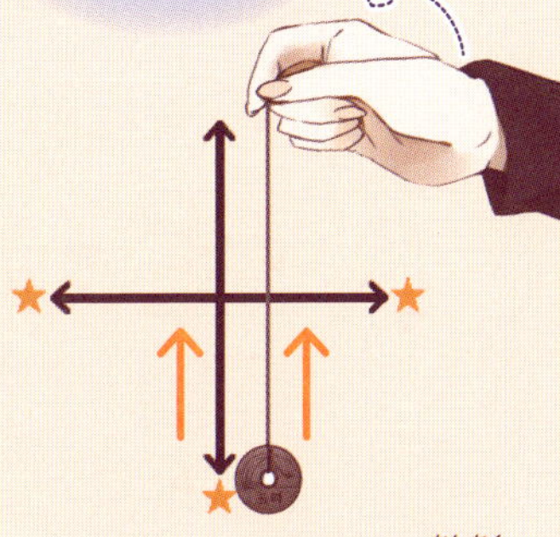

最初のうちは…
ペンデュラムが線のとおりにゆれるよう自分の手を使って動かす。

ペンデュラムがゆれる感覚を体（目や指先）でおぼえてね！

手は使わずにペンデュラムが自然と動くよう頭のなかで指示しよう。

うまくゆれないときは

ゆっくりと深呼吸を3回してみよう！
肩や手の力をぬいて、リラックスすることが大切だよ。

ダウジングは「怖いもの」と思っていない？
怖いと思っていると動かないかも。

動かなくても気にしない！
気軽に楽しんでやってみて。
期待しすぎると動かないかも。

練習その2 「はい」「いいえ」で動かす

【やり方】 ダウンジングシートの ステップ2 を使うよ

1 5円玉の中心(糸の真下)をシートの★マークにあわせよう。

2 「はい」か「いいえ」の答えになる質問をゆっくりとなえよう。

3 ペンデュラムが「はい」「いいえ」「わからない」のどこかのゾーンでゆれるよ。

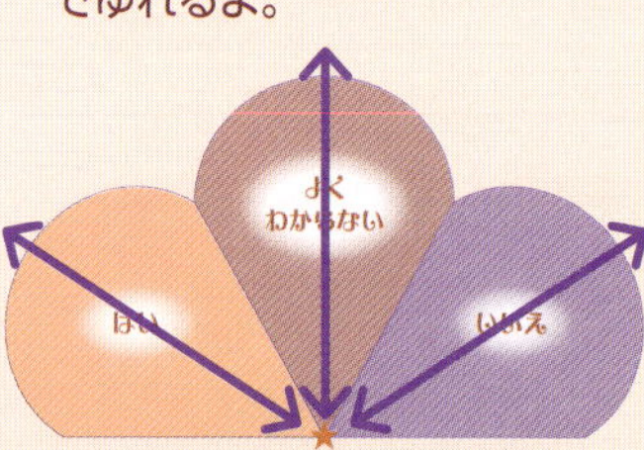

練習が成功するようになったら
質問を考えて「イエス・ノー占い」としてもやってみてね!

こんな質問をしてみよう!

練習中は…

答えが最初からわかっている質問をして、その答えどおりに動くか練習してね。

- 例 わたしの名前は○○です。
- 例 今日は○月×日です。
- 例 いまは午前中です。

✡ 占い ✡

「いつ」「どこで」「だれが」「なにを」など具体的に質問してね。

- 例 今日の登下校中にカサが必要になりますか?
- 例 明日の給食には大好きなシチューがでますか?
- 例 クラスの男子のなかで、いまわたしを好きな人はいますか?

占いをやってみよう！

ペンデュラムは自然にゆれるようになったかな？
より具体的な答えがわかる占いにトライしてみよう！

パーセント占い

割合で判断できることを占おう

【やり方】 ダウンジングシートの ステップ3 を使うよ

1 5円玉をシートの★マークにあわせてスタート。

2 答えがパーセントになる質問をゆっくりとなえよう。
ペンデュラムがゆれたゾーンで結果がわかるよ。

こんな質問をしてみよう！

「いつ」「どこで」「だれが」「なにを」など具体的に質問してね。

例 わたしと○○くんの相性は、いま何パーセントですか？
例 今週おこづかいをもらえる確率はどれくらいですか？
例 ○○ちゃんへ□□をプレゼントしたら、どれくらいよろこばれる？
例 ペットの○○○のご機嫌度は、いまどれくらいですか？
例 新しいバッグを今月中に買ってもらえる確率はどれくらいですか？

なれてきたら、自分で質問を考えて占ってみよう！

✡恋・友・未来占い✡

気になるテーマを選んで占おう

【やり方】 ダウンジングシートの ステップ4 を使うよ

1 5円玉をシートの★マークにあわせてスタート。

2 占うテーマを下の表のなかから決めて、その質問文をゆっくりとなえよう。

3 ペンデュラムがゆれたゾーンのマークを確認してから結果ページの解説を見よう。

占うテーマとその質問文

占えること	質問文	結果
恋1	片想いの相手はわたしをどう想っている？	105ページ
恋2	気になるカレとの間にこれから起こることは？	105ページ
友1	あの子との関係はこれからどうなる？	106ページ
友2	ケンカしたあの子と仲直りするには？	106ページ
勉強	勉強やテストに関する運気はどう？	107ページ
未来	これから近い未来わたしはどうなる？	107ページ

恋1 片想いの相手はわたしをどう想っている？

➡ ペンデュラムがゆれたゾーンのマークを見てね。

ハッピー全開！ 両想いだよ♥

カレもあなたのことが大好きみたい。ふたりの相性は超バツグン！　笑顔をむければ、彼もニッコリ笑ってくれるよ。

「好き」まであと少し!?

カレもあなたのことが気になっているよ！　カレの気持ちをつかむには、たくさん話して親密度をあげて！

友だちのひとりかな…

いまのカレの気持ちは、好きでも嫌いでもないみたい。まずはカレに近づいてあなたを印象づけることから。

やや苦手な女子かも…

カレの想いはビミョーな感じかな。ちょっとあわないと思われているかも。ふたりの共通点を見つけるといいよ。

悪い印象が強いかも…

残念だけど、あなたの印象はよくないみたい。でもこれ以上悪くはならないよ。笑顔で印象をよくしよう！

恋2 気になるカレとの間にこれから起こることは？

➡ ペンデュラムがゆれたゾーンのマークを見てね。

告白されちゃうかも！

あなたがイメージするカレとの恋愛関係が実現するかも！友だちにやさしくすると、恋愛運が完ペキレベルに！

胸キュンシーンに期待！

カレとの恋愛運にOKサインがでたよ！　うれしい出来事や楽しいハプニングが起こるかも。スナオになると◎

う～ん いつもどおり

トクベツ変わったことは起こらなそう。よくも悪くもいつもどおりみたい。楽しくすごす魔法はあなたの笑顔だよ！

プチトラブルの予感が…

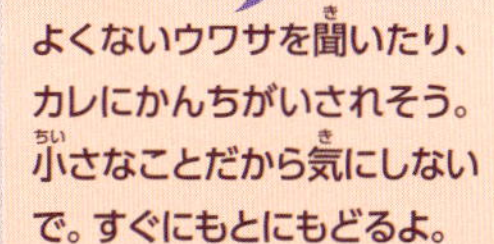

よくないウワサを聞いたり、カレにかんちがいされそう。小さなことだから気にしないで。すぐにもとにもどるよ。

悲しい出来事があるかも…

ショックな出来事やよくない事件が起きるかも。いまはおとなしくしていたほうが安心だよ。落ちこまないでね！

友1 あの子との関係はこれからどうなる？

➡ ペンデュラムがゆれたゾーンのマークを見てね。

ずっとずっと超親友の関係！

あなたとあの子の友情運は他人が入れない完ペキレベル。大人になってもずっと続く強いキズナをもつふたりだよ。

みんながうらやむ親友でいられる！

なんでも話せちゃう親友のふたり。どんなことがあっても、おたがいを信じて助けあえる関係を大切にしようね！

もっと仲よくなれるのに…

もっと仲よくなれる友情運。一度たくさんおしゃべりしてみると、おたがいの魅力がわかって親友になれるよ。

すれちがいが起こりそう…

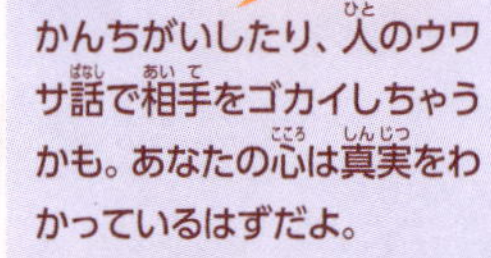

かんちがいしたり、人のウワサ話で相手をゴカイしちゃうかも。あなたの心は真実をわかっているはずだよ。

少し距離をおいたほうが…

ケンカをしたり、考えがちがうことがハッキリするかも。でも気にしないで。距離をおき冷静になればもどれるよ。

友2 ケンカしたあの子と仲直りするには？

➡ ペンデュラムがゆれたゾーンのマークを見てね。

スナオに直接あやまって！

「あのときはゴメン！」とすぐにあやまって。「こっちこそゴメン！」と、いつもどおりのふたりになれるはず。

笑顔でふつうに話しかけて！

あの子も同じ気持ちでいるみたい。仲直りできないとさびしいよね。笑顔で話しかければ、自然に仲直りできるよ。

手紙やメールであやまれば◎

言いすぎちゃったこととか、怒らせてしまったことがあっても大丈夫。手紙やメールであやまるといいよ。

ゆっくり話しあって！

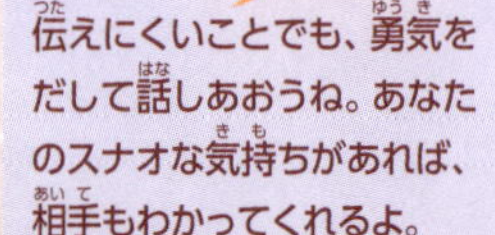

伝えにくいことでも、勇気をだして話しあおうね。あなたのスナオな気持ちがあれば、相手もわかってくれるよ。

時間をかけて仲直りしよう

いまはまだ怒っているみたい。少し様子をみるか、あの子の親友に相談してみると、いい解決策が聞けるかも。

勉強　勉強やテストに関する運気はどう？

➡ ペンデュラムがゆれたゾーンのマークを見てね。

苦手が得意になるチャンス！

わからないと思っていたことがわかるようになるよ。ひとつの教科をくり返し勉強してみよう。ファイトだよ！

がんばった分点数がアップ！

前回よりいい点がとれそう。がんばった分だけ点数が上がるときだから、いつもより気合いをいれてみて！

不思議と集中できちゃう！

やる気があるときがチャンスだよ。好きな科目から、いつもより少しだけ多く勉強してみよう！　集中できるよ。

体を動かしてやる気オンに！

勉強しなくちゃと思っていても、気分がのらなそう。ダンスやストレッチで体を動かすと、気分が変わるよ。

頭にうかぶのは勉強以外で…

恋や友だちのことが気になってしまい、勉強に集中できなさそう。目をとじて、ゆっくり呼吸をすると落ちつくよ。

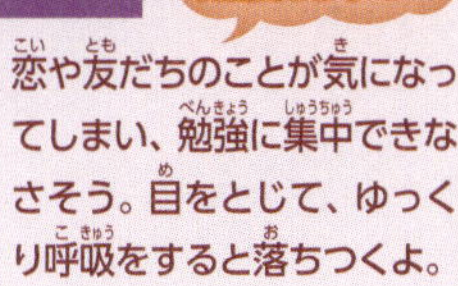

占い結果　未来　これから近い未来わたしはどうなる？

➡ ペンデュラムがゆれたゾーンのマークを見てね。

いいことづくめ笑顔の毎日♪

長年の願いがついにかなったり、がんばってきたことがほめられそう。苦手なことをこくふくできちゃうよ。

ラッキー連発！外出が吉

うれしいニュースがまいこみそう。ほしかったものを買ってもらえたり、行きたかった場所に行けるかも！

へいぼんな日も幸せいっぱいに

いつもと変わらぬ毎日だけど「楽しい１日だった！」と思えそう。ラッキー度アップの呪文は「ありがとう」だよ。

不満がバクハツイライラしがち…

とくに悪いことはないのに、なぜか不満を感じちゃいそう。人をうらやましがると運気がダウンするから注意！

ガッカリする日が続くかも…

期待していたことがうまくいかなくて、ガッカリしちゃいそう。ため息はつぎのガッカリを呼ぶから笑顔でいよう！

神秘のパワーを取りいれよう!

ペンデュラムの回転で宇宙のパワーを集めることもできるよ。
この動きをうまく使って、毎日の生活にパワーを取りいれよう!

☆なくしもの探し☆

ペンデュラムの回転で
なくしたものの
ありかがわかるよ。

1 なくしたものがありそうな部屋でペンデュラムを持ち、質問をしよう。
その部屋にあれば右まわり、なければ左まわりにゆれるよ。

2 なくしたものがある部屋がわかったら、つぎは部屋のどこにあるか質問をくり返し、探していこう。

自分の部屋
右まわり
▶この部屋にある!
この部屋に赤いペンはありますか?
リビング
左まわり
▶この部屋にはない
机の近くに赤いペンはありますか?
あっ…!右にまわった…!
机の近く、引きだしのなか、棚の1段目…など、具体的な質問をしてみてね!
やったぁー!
赤いペンが見つかった!

★ エネルギーのチャージ ★

アイテムにエネルギーをいれて、ラッキーを呼びこんで！

アイテムの上で呪文をとなえながら、ペンデュラムを右まわりに10回ゆらしてね。

このとき、アイテムの上に光がキラキラとふりそそぐようなイメージをしてみて！

学校でいいことありますように！

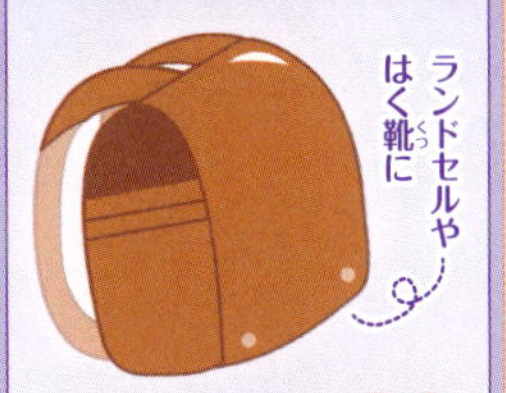

ランドセルやはく靴に

呪文

エネドー！ ノカホー！ ヲトキー！

学校でトクベツな行事がある日にやってみてね。ラッキーな出来事が起こるかも♪

楽しくお出かけできますように！

使うバッグに

呪文

シャンス チャンス！
シャンス チャンス！
シャンス チャンス！

友だちとどこかへお出かけする日にやってみて。楽しい1日になるよ♪

気になるカレと近づけますように！

着ていく洋服に

呪文

「イニシャル（カレ）」
「イニシャル（自分）」
ジュール ウフゥ！

例 H.T N.K ジュール ウフゥ！

気になるカレと遊ぶ日にやってみて。カレとの距離がぐっと近づくよ♪

テストでいい点がとれますように！

テストする教科の教科書やノートに

呪文

わたしは大丈夫。
○○点とれる！

※めざす点数を自分で決めてね。

集中してテストにのぞめるよ。勉強した成果がしっかりだせるかも♪

おこづかいがもらえますように！

お財布か貯金箱に

呪文

ネーマ ウオタギラー
リガトウ！

※5回となえてね！

いつものおこづかいとはちがう、トクベツなおこづかいがもらえちゃうかも！

かわいくなれますように！

おふろの湯船に

呪文

わたしがかわいいのは
ベルティナのおかげ。
ありがとう

呪文をとなえたら、とびきりのスマイルをして。いまよりもかわいくなれるよ。

☆邪気や不安の浄化☆

アイテムや心に染みついた邪気を払ってスッキリしよう。

やり方

1 「浄化オンブロップ」を作って使うよ。※作り方は111ページ。
2 ペンデュラムを左まわりにゆらすときは、邪気を宇宙に飛ばすイメージで！
3 ペンデュラムを右まわりにゆらすときは、宇宙の力が集まるイメージで！

小さなアイテム

オンブロップの上にアイテムをのせる

呪文

1 悪しきものは消えゆき
※左まわりに10回ゆらしながら

2 よきエネルギーがわきいでる
※右まわりに10回ゆらしながら

大きなアイテム

アイテムの上にオンブロップをのせる

呪文

1 悪しきものは消えゆき
※左まわりに10回ゆらしながら

2 よきエネルギーがわきいでる
※右まわりに10回ゆらしながら

人にされた嫌なこと

1 嫌なことを白い紙に書いてたたみ、オンブロップにいれよう。

2 呪文をとなえながらペンデュラムを左まわりに10回ゆらしたら、白い紙はやぶり捨てよう。邪気が消えて心がスッキリするよ。

呪文

ノットリベンジ ドゥジャスティス
ティールのさばきがくだされる

不安やイジワルな気持ち

1 不安やイジワルな気持ちを白い紙に書いてたたみ、オンブロップにいれよう。

2 呪文をとなえながらペンデュラムを左まわりに10回ゆらしたら、白い紙はやぶり捨てよう。邪気が消えておだやかな気持ちに。

呪文

不安ふあんファン
楽しい気持ちがふえてくる

浄化オンブロップの作り方

1 青い線のとおりにきれいに切り取ろう。

2 すべての黒い線を山折りで折って、うら返そう。

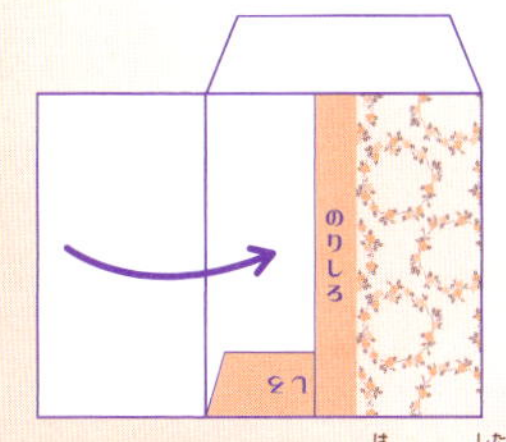

3 のりしろにのりを貼り、下側と両側を貼りつけよう。

4 ふたを折ったら完成！
※のりはつけないでね！

だれかにイジワルな
気持ちをいだいたり
自分さえよければという邪気は
悪霊につけこまれてしまう
原因になるぞ。
この浄化オンブロップを使って
邪気を宇宙のかなたに
飛ばしてしまおう！

まとわりつくモノ

絶叫
恐怖レベル
7話
モヤのなか
邪悪の印
あれからずっと休んでるけど
…百菜ちゃん大丈夫かな…
ギュ…
クラスメイト 三矢さん

ピンポーン
ガチャ
あら 来てくれてありがとう
ちょっと待っててね

百菜ちゃんのまわりで感じた
あの変な気配が関係ないといいけど…
ドクン…
ドクン…
でも…なんだろう…
この変な感じ
ヤバイかも…
あっ
百菜ちゃ…

ゾ
ガタ
ガタ…
げ…元気なら
いい…んだ
まっ
また
来るね
だっ
チチ…
——一か月前

この神社映画撮影でよく使われるんだって
へぇ～すごい
いとこのひかり
！
お手をふれぬようにしてください
なんだろ…この石
結界石って書いてある
結界石～神隠れの森の結界伝説～
ふ～ん…
…ひかり
早く森に行こ～よ

ザッ…
二百年くらい昔
この森をぬけようとする旅人が
物の怪のしわざでしょっちゅう消えちゃったんだって…
その物の怪は人にまとわりついて最後にはその人間に入りこむんだって…
物の怪？
…
それってキャラ？
もぉ～ふざけないで
まっ黒な石の結界で物の怪を封じこめたっていう伝説だよ
黒には魔除けの効果があるんだって

ふ～ん

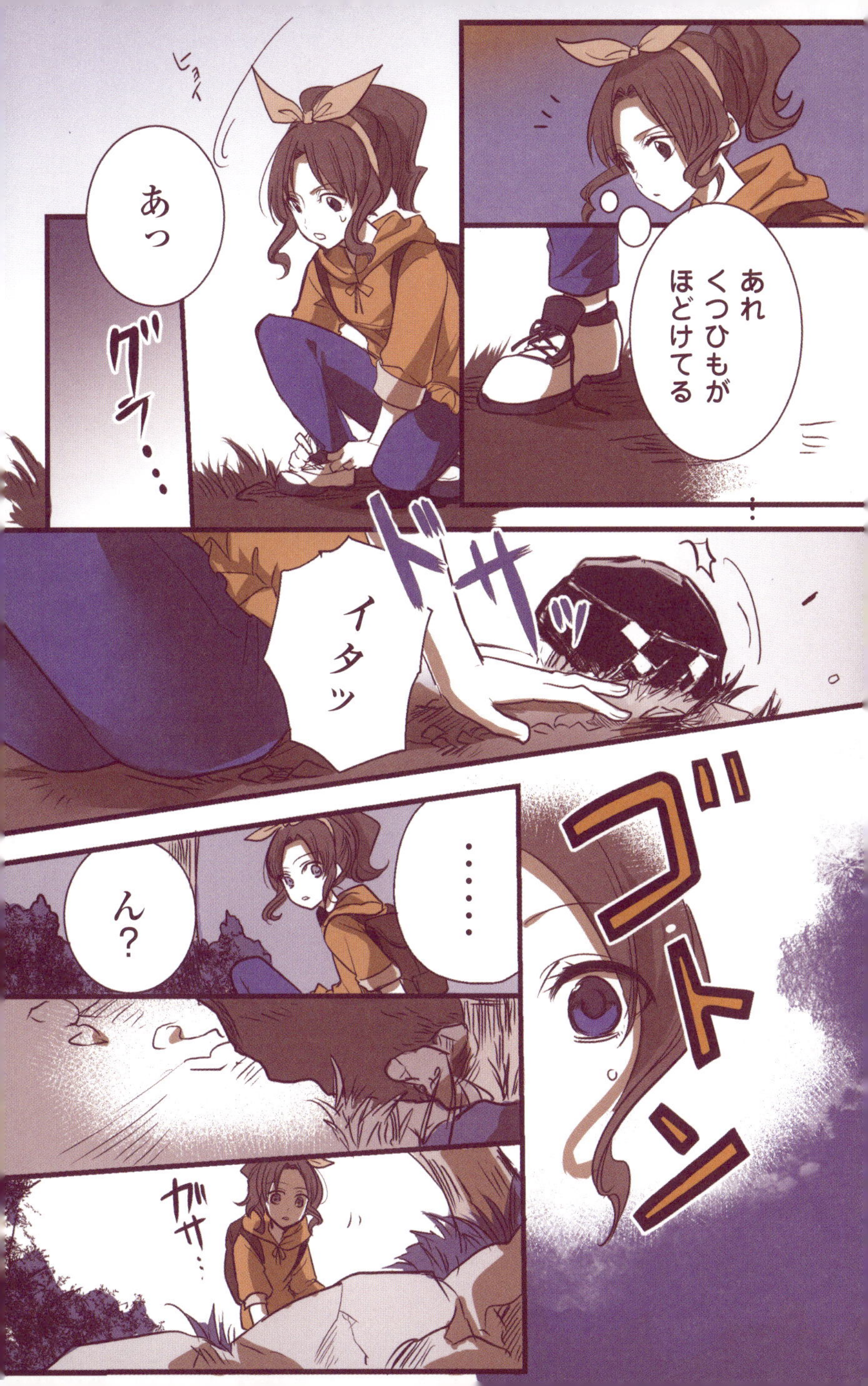
あれ
くつひもが
ほどけてる
ヒョイ
あっ
グラ…
ドサッ
イタッ
ゴトン
……
ん?
ガサ…

!!
あれって結界石？
もどしたほうが
いいのかな…
ドクン…
いや…ただの
伝説だし…
それに大変そう
ドクン…
どうしたの？
結界石を
見つけた
とか？
そっ
そんなわけ
ないじゃん
し…ん
ズズ…
すぅ…

ガヤ
さっきから…
ガヤ
窓のあたりにずっといる――…
ドクン…
ドクン…
オ…
消えて
消えて
消えて!!
もう…
大丈夫かな…

オオ
オオ
ぎゃっ…
ガタッ
ちょっと…!!
百菜どうしたの
大丈夫?
ドクン…
ドクン…

ふ…増えてる――…
ね…ねぇ そこに見えない…？
なにが？
なにが見えるの？
だから黒いモヤが…
…っ
きゃあぁ

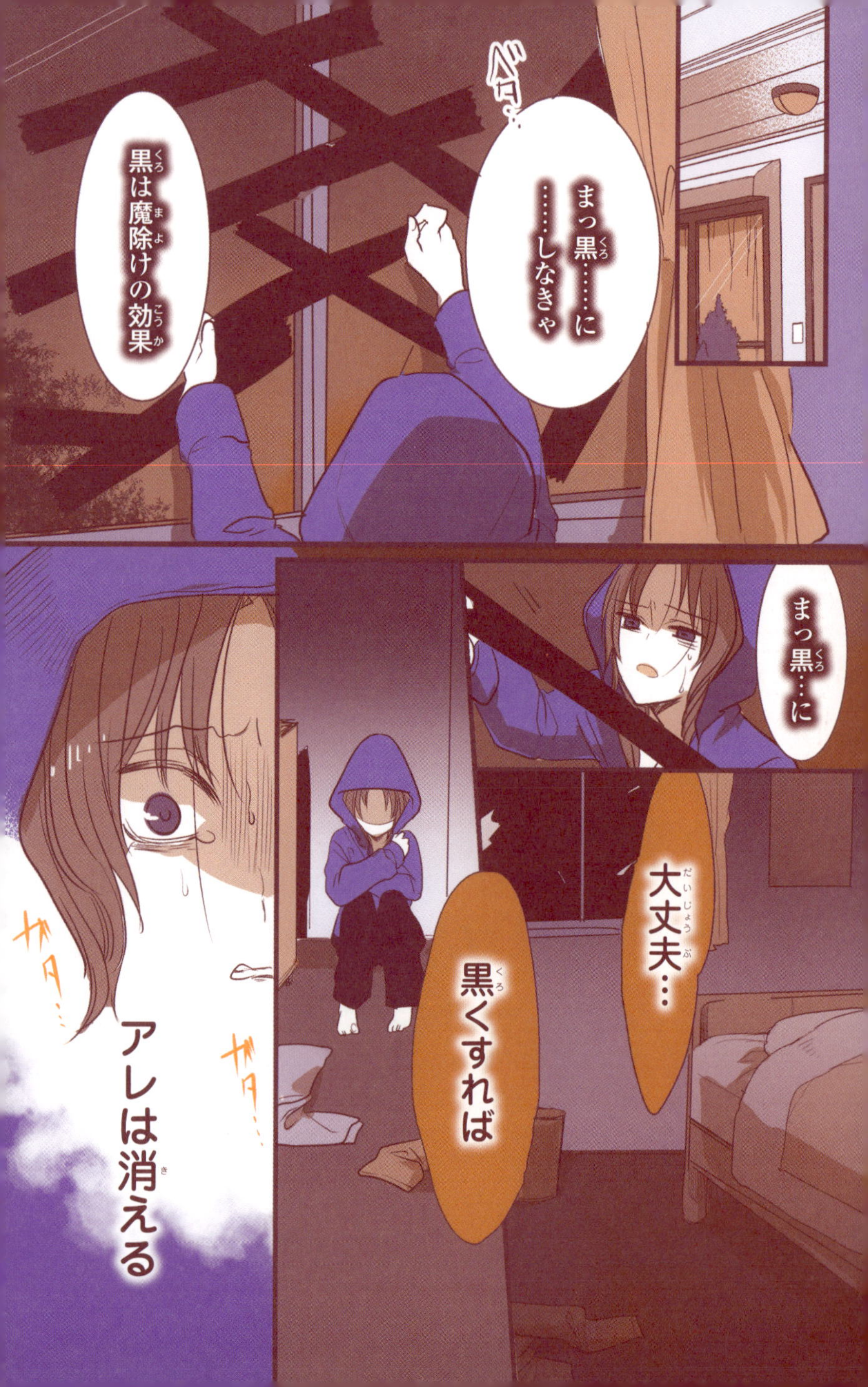
ベタ…
まっ黒……に
……しなきゃ
黒は魔除けの効果
まっ黒…に
大丈夫…
黒くすれば
ガタ…
ガタ…
アレは消える

ガチャ…
百菜ちゃんっ！
あ…あなた大丈夫なの？
……
シャ…
ギィ…
キャアアアア
百菜どうしてこんな!!
ばっ

ガチャ
し…ん
？
――…
ちがう…
わたしが黒く…
ドド…
…したものじゃない

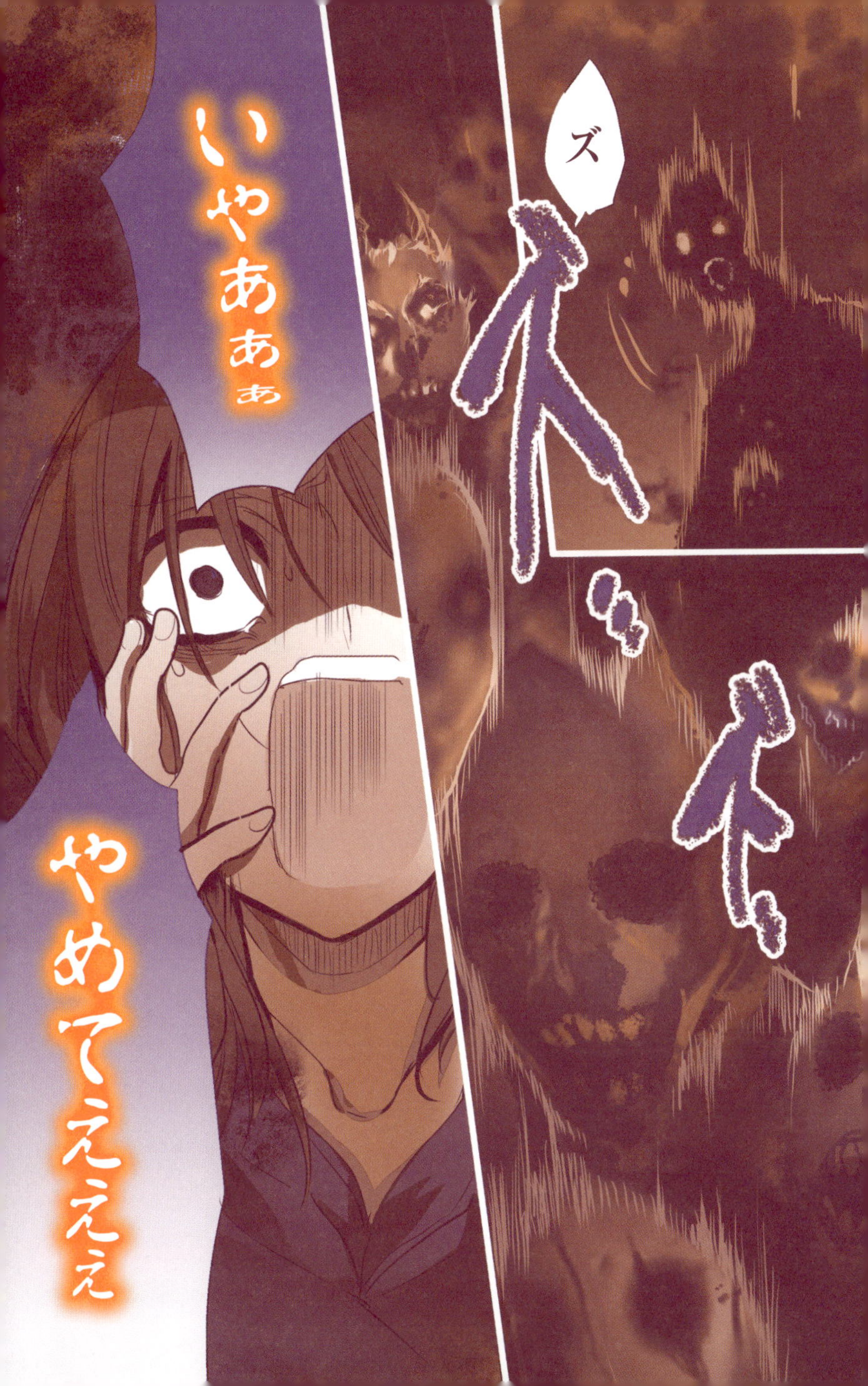
ズ
ズ
ズ
いやあああ
やめてえええええ

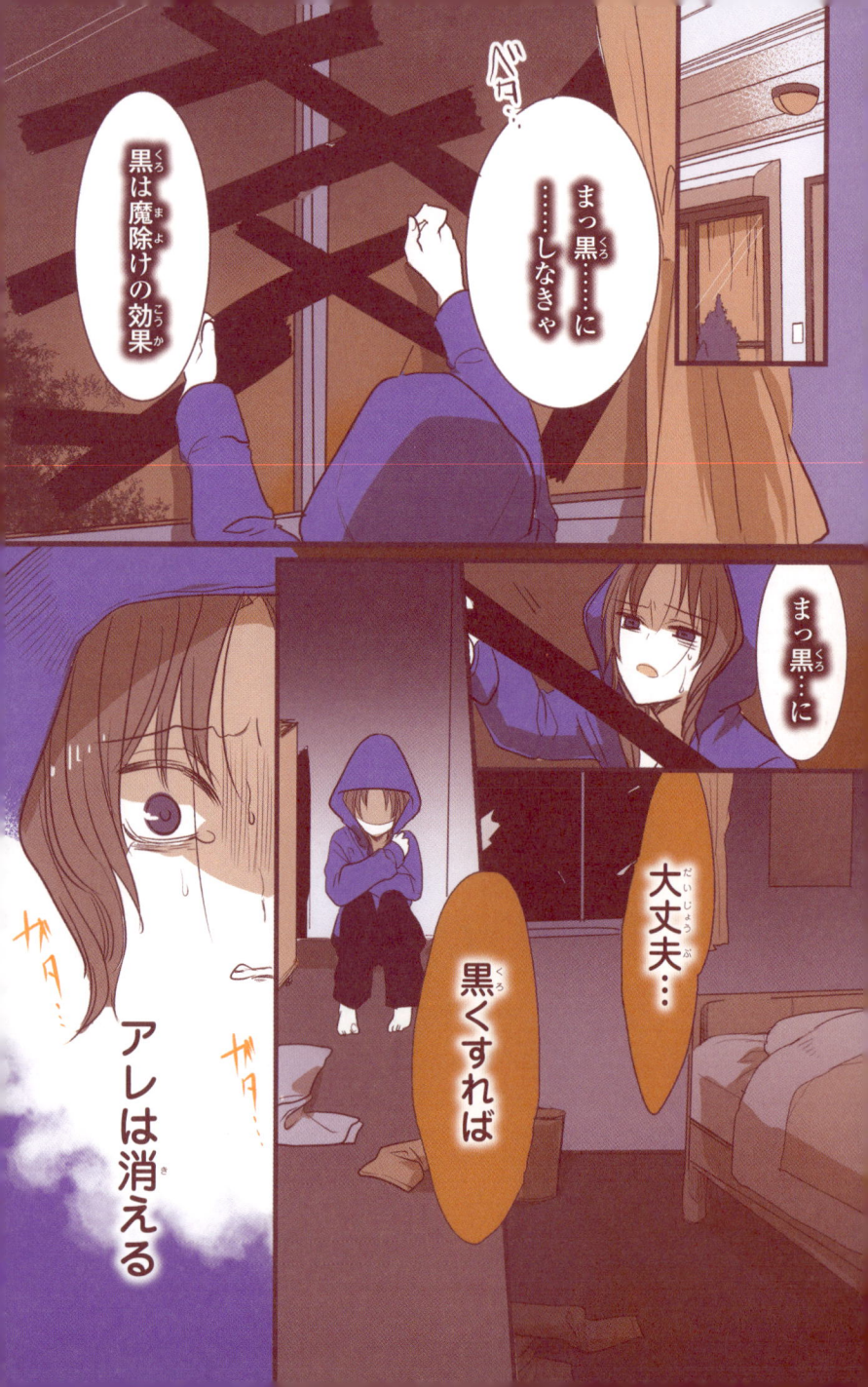

物の怪は人にまとわりついて

最後にはその人間に入りこむんだって

こいつらはきっと

もうすぐわたしに入りこむ

――まあ…
もういつか…

レイカちゃんの部屋オシャレ♪
読モってホント毎日が楽しそうだよね☆
ゾクッ
恐怖レベル
キーホルダー
邪悪の印
8話

お金がもどる財布

クオンちゃんこのコーデもかわいい～♡
ラブすぎリッチーにずきゅん☆
#リッチー
いいね！ 4205
ララルの撮影に出発！
最近キャップにハマリ中
#キャップ
いいね！ 2082

ハァ〜〜
今日のフォトスタどうしよう…
クオン
そうだ！レイカはどうだろ？
新しくできたパンケーキ屋さんだよね…
クリームもりもりいただきまーす
#パンケーキ
いいね！ 4478
うわっ！なにこの値段
うそー

レイカの家はお金持ちだから
なんでも買えるし
いろいろ遊びに行ける
…でもわたしは
カラッ
おこづかい少ないし
バイトはまだできないし…
読モはすべてがオシャレじゃないと人気が落ちるよ
このままじゃレイカと差がつくばっかり
ジタ
バタ
あぁ
お金持ちになりたいよぉ～!!

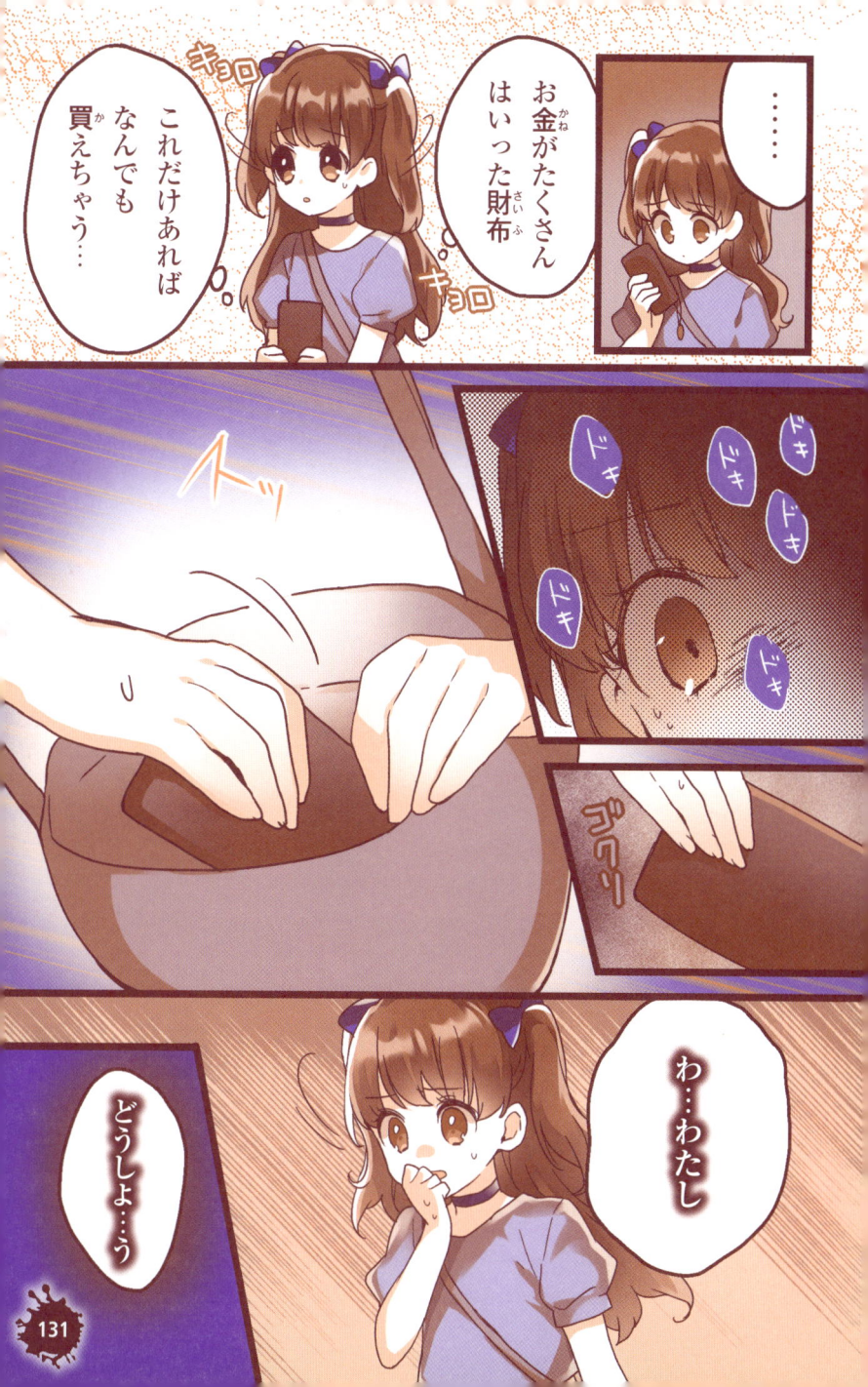

みなさん募金をお願いします
すご…
ぎっしり
お金持ちの家の子かな？
あっ
ポロ
あのっ
スタ スタ スタ
さいふ…

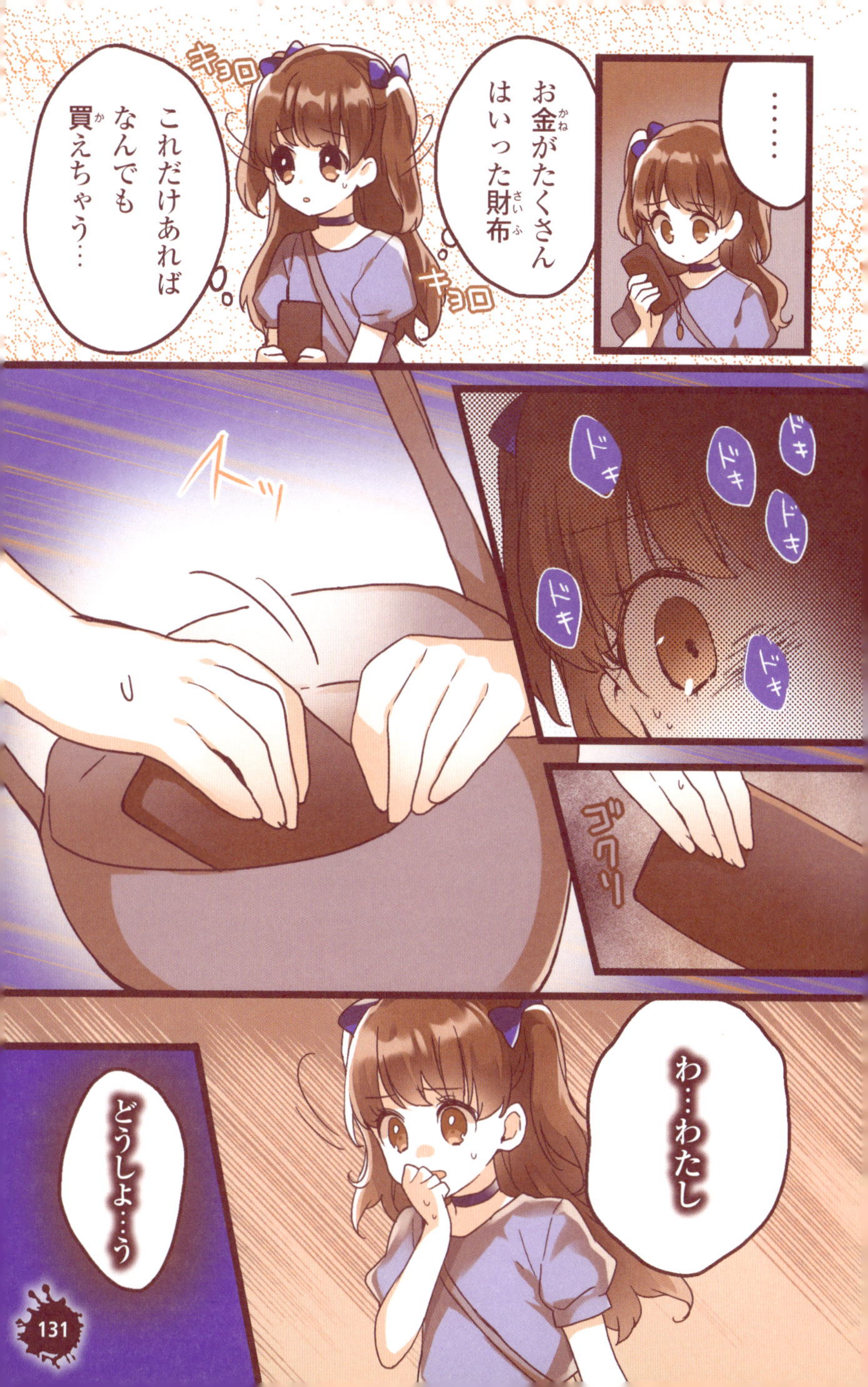
……
お金がたくさんはいった財布
キョロ
キョロ
これだけあればなんでも買えちゃう…
ドキ
ドキ
ドキ
ドキ
ドキ
ドキ
ドキ
ドキ
ドキ
ドキ
ドキ
ドキ
ゴクッ
わ…わたし
どうしよ…う

あのっ
タッ タッ
これっ
財布落としたよ
…へえ お姉さんは正直者だ
にこっ
ありがとう お礼にこれを貸してあげる
…なにコレ？
これをつけると お金がもどる 財布になるよ

フフ
使ってみたら
これおばあちゃんにもらったわよ
ムダ使いしないで！
マジで!?
超ラッキー☆
あ
ちゃり…
もしかして
これのおかげとか…？
さっそく買い物しちゃお！
試着中！似あうかな？
ショッピング楽し♪ #ソク買い

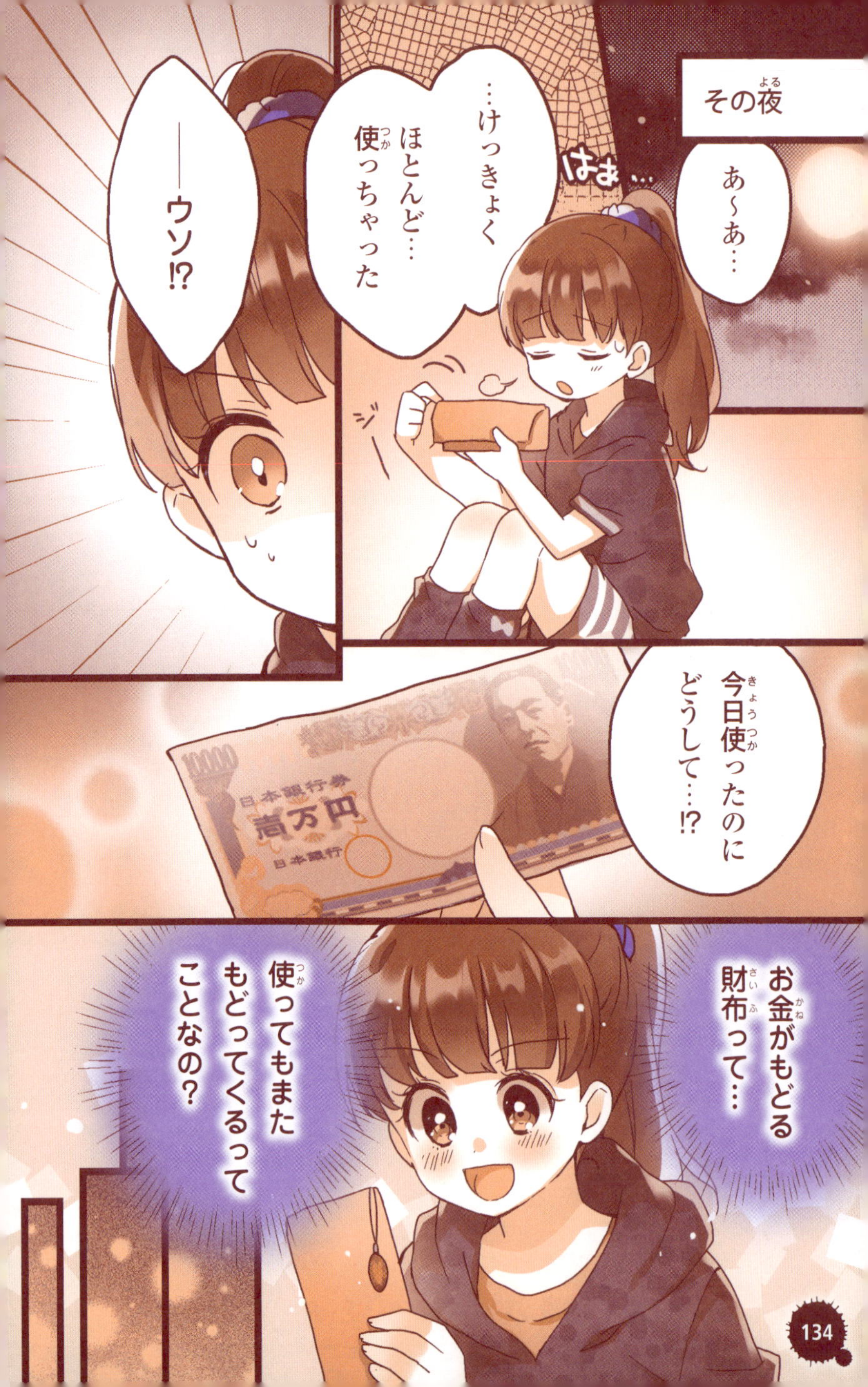
その夜
あ〜あ…
はぁ…
…けっきょく
ほとんど…
使っちゃった
——ウソ!?
今日使ったのに
どうして…!?
10000
日本銀行券
壱万円
日本銀行
お金がもどる
財布って…
使ってもまた
もどってくるって
ことなの?

激カワだから全色買い＃スニーカー
ＫＦＪへ遊びに来たよ！＃ＫＦＪ
全巻大人買い！
＃マンガ
いいね！ 3082
いいね！ 4002
いいね！ 5529
よしっ！レイカよりいいねが多い!!
ここ1か月でどんどん増えてる
アハハハ
お金があればなんでもできるっ
そうだ…
明日はバッグ買いに行こ♪
もっともっと…いいねを増やすんだから…

う〜ん…
どっちにしよう
両方買えばいっか
お会計は七千九百円です
はーい

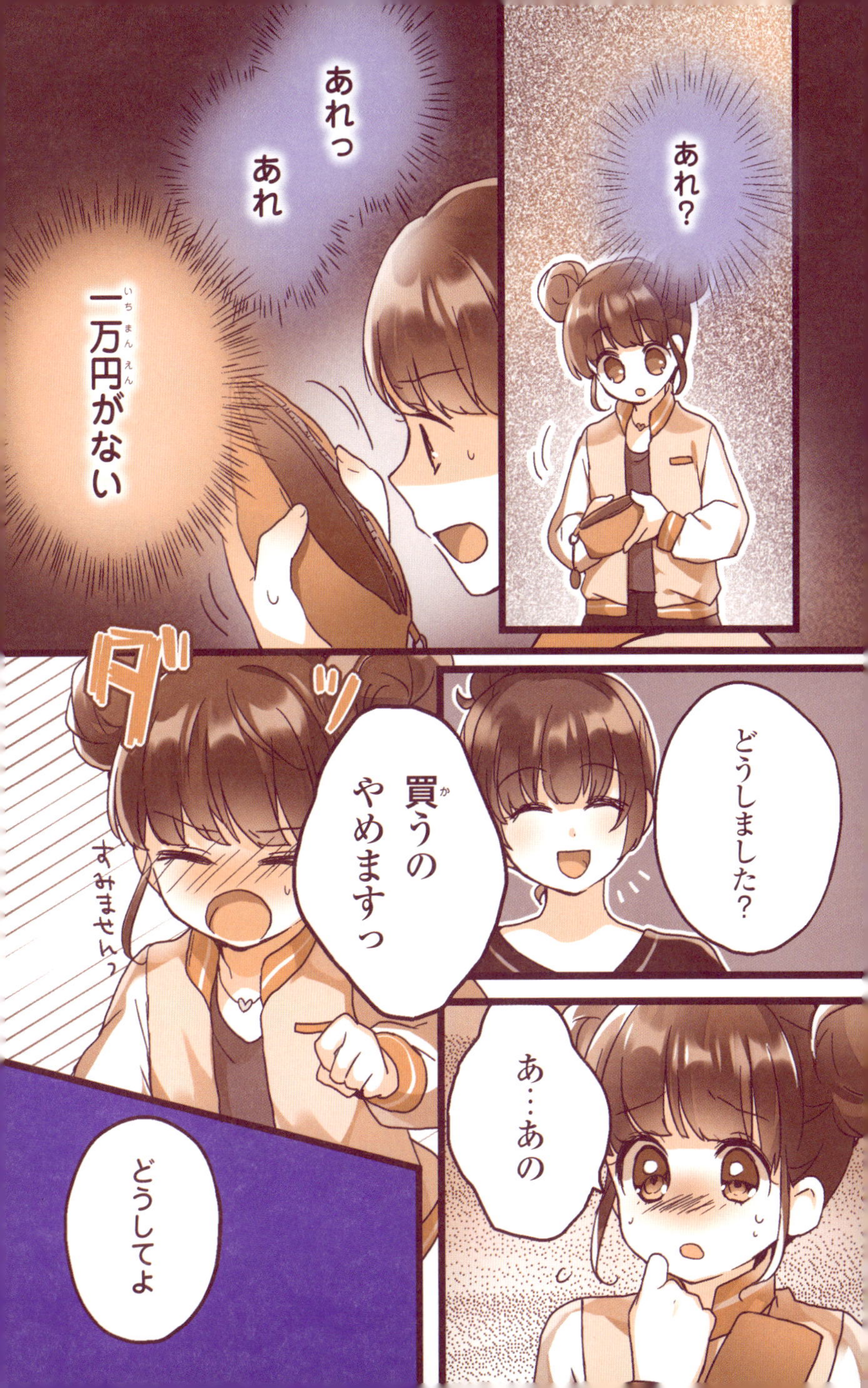
あれ?
あれっ
あれ
一万円がない
ダッ
どうしました?
買うのやめますっ
すみませんっ
あ…あの
どうしてよ

ブン
ブン
どうして一万円がもどってこないわけっ
どうしてよっ!!
お金がなきゃなにも買えない遊びに行けない
フォトスタにも投稿できないじゃない…
そのキーホルダーお試し終了だね
あっ…きみはあのときの…!
ねえっ!!お試し終了って?

ぼくは
貸してあげるって言っただけだよ
…そんなっお金がないなんてイヤだよぉ！
クッ クッ クッ
なんかお困りみたいだね
お願い‼新しいそれまた貸してっ
それはムリだよお試しはひとり1回までだから
まぁ…方法がないわけじゃないけど…
なに⁉教えてっ

きみの記憶を買ってあげるよ
記憶を
買う？
きみのいろいろな思い出がぼくはほしいんだ…
ぼくはずっと孤独だったから家族や友だちとの思い出がなくて…

思い出なんかがお金になるの？
あぁ…ぼくにとってはお金なんかよりずっと貴重なものさ…
思い出なんてなくても困らないし…
また作ればいいだけよ
わたしの思い出ぜ〜んぶ売るわ！
ぜんぶ…それはそれは…きみだと…う〜ん七百八十万円かな
七百八十万円⁉
今日からわたし超セレブじゃん‼

オッケー
契約成立だね！
パキン
にゃあ
ズリ
えっ…ちょ
なにこれ…っ
意識が――…
ガクン

…ん…
ぱち
たしかに思い出は買いとったよ
だれっ
これは代金…
なんなのあなた
あっ…ちょっとこのお金…!!
—そっか…すべての記憶が消えたから
わからないか…

ここはドコなの…
わたしはダレなの…
ここはドコなの…
わたしはダレなの…
ここはドコなの…
キョロ
キョロ
ザッ
ニタァ

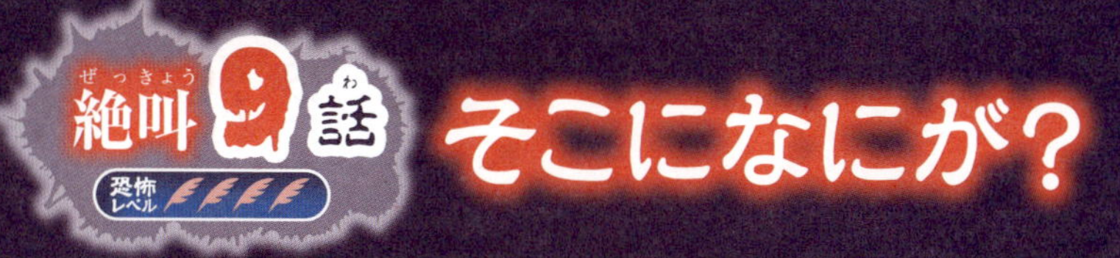

絶叫9話 そこになにが？

恐怖レベル

犬や猫は人間より、ずっとずっと敏感なんだって。
それは「におい」や「音」だけじゃなくて
なにかほかにもあるらしいよ…。

ミントー おいでっ！
…
ちりんちりん
ほらぁ ミントー？

おもしろいものでもなにか見つけた?
あれ? なにもないじゃん?
変な子ですねぇ
ぐいっ
ぐいっ
へぇ…昼間そんなことがあったのね

うん…そうなのミントが変な感じでさ…
動物って人間よりも感覚がすぐれているからね
鼻や耳がいいんでしょ？
そうね
…あと霊感も強いらしいわね
!?
それって…ミントはなにかを見てたってこと…!?
ぞくり…

…あと霊感も
強いらしいわね
ミントにも霊感が
あるのかな？
ピクッ
まさかね…
!?
ワンッ
ワンッ

こらっミント
やめなさいっ！
ぐいっ
わんっ
わんっ
……
すっ…
ぐるる
すみません
なんだか様子が
おかしくて…
…いつも嫌われ
ちゃうんです
犬って見える
みたいだから…
え!?
見え…る…？

…ぼくにはたくさん
憑いてるみたいなんです

特集マンガ
3つのストーリーを読んだとき
恐怖がさらに大きくなる！

ノロイの動画

学生たちの間で『ノロイの動画』
なるものが流行り始めている…。
そのウワサはネットで広まり、どこの学校でも話題と
なっていた。ぼくが中学生の姿で通う
東西学園のホラー倶楽部。そのメンバー・中山さんに
この動画について調査してもらっていた…。

「ケンさん、ノロイの動画について、いろいろとわかりましたよ！」

ホラー倶楽部メンバーの中山さんは、ノートを開きながら、話し始めた。

「最近、東西学園でウワサされるノロイの動画ですが、どうやらうちの学校だけではなく、全国の学校で流行っていますね。SNSや動画サイトで拡散して、一気に広まっているようです」

「……そうなのか。いったい、ノロイの動画ってどんなものなんだい？」

「…はい。わたしも実際に動画を見てみようと探したのですが、ネット上で見つけることはできませんでした。ニセモノの動画は、いろいろとあふれているんですが…」

「…じゃあ、ウワサはウソってことかい？」

「……そうとも言えません。ノロイの動画には、不気味な木彫りのマリオネット（操り人形）が踊っているとか、おかしな仮面をかぶった人があらわれるなど、ウソにしては具体的な情報も多いんです。それに動画を見た子が、ずっと学校を休んでいるとか、事故にあってしまったとか、そんなウワサまで流れているので…」

「う〜ん。ノロイの動画を見ると、ノロイがかかるってことなのかい？」

「はい。——ノロイの動画を見てしまうと、48時間後に不幸が訪れる。そしてそのノロイをとくためには、48時間以内にノロイの動画をだれかに見せなければならない——。こんなウワサも出まわっているようです」

（……………う〜ん）

「ずっと昔、学生たちの間で流行ったという、不幸の手紙とか幸せのチェーンメールといったものと同じなんでしょうか？」

「まだなんとも言えないけど、そういったものとはちがうような気がする。人間のものではない、なにかまっ黒な邪気のようなものを感じるな…」

「人間のものではない、まっ黒な邪気ですか…。でもたしかに、おかしな現象も多いそうです」

「おかしな現象って？」

「ノロイの動画は友だちから友だちへと直接広まっているそうで、ネット上に不特定多数の人間にむけてアップされたものは、その瞬間にほとんど削除されるらしいんです。不思議ですよね…。だから動画が見つからなかったんですが…」

（……アップと同時に削除…。このノロイの動画は人間のしわざではない？ 異世界の何者かの力が働いているようにも思えるな……………）

「……さんっ！ ケンさんっ！」

「ああ、ごめん。なんだっけ？」

ぼくはいつものくせで、ついひとりで考えこんでしまっていたようだ。中山さんに肩をたたかれて、ようやく気がついた。

「実際に動画を見たという子たちの話を調査ファイルにまとめました。これは友人たちの証言なので、本当の話だと思います」

「うん。それは興味深いね」

（この調査ファイルを読めば、ノロイの動画を広めた黒幕についてもわかるだろうか…）

「中山さん、いろいろ調べてくれてありがとう。さすがはホラー倶楽部のメンバーだ。大変だっただろ？　本当に助かったよ」

「いえいえ、わたしもノロイの動画は気になっていたので、有意義な調査でした。まだまだわからないことのほうが多いので、このまま調査は続けたいと思いますが…。ではケンさん、どの調査ファイルから読むことにしますか？」

「じゃあ、このファイルから読むことにしよう」

あなたの好きな順で読み進めてください…。

調査ファイル

八坂真奈

▶▶180ページへ

調査ファイル

島田和香

▶▶170ページへ

調査ファイル

川崎愛々

▶▶155ページへ

特集マンガ
ノロイの動画 1

マリオットのダンス

絶叫
邪悪の印
恐怖レベル
ノロイの動画
10話

ノロイの動画って知ってる?
つぶやきでウワサなんだよね
2組の水木たちも話してた!
雫
う〜ん動画自体はナゾらしくて…
霊が映るとかそういうやつ?
なにそれ♪見てみたい!!
愛々
ここな

つぶやきで動画を募集してみるね！
じゃあ動画が見つかったらここなの家にお泊りしよ！
こんなふうに募集してみたらね…
カチカチ
たくさんつぶやきがきたよ

ホーム
モーメント
通知
メッセージ
キーワード検索
いまなにしてる？
ここなん★
@kokona
ツイート 343
フォロー 50
フォロワー 69
トレンド ·変更する
シンデレラ
84,011件のツイート
#consadole
3,975件のツイート
ここなん★ @kokona
『ノロイの動画』がど～しても見たいんです。
だれか『ノロイの動画』を送ってくださいっ!!!!
【注意】ニセモノはやめてくださいね。
27
120
80
れなな @renanan 1時間前 返信先 @kokonaさん
きゃああ。そんなの見て呪われたらどうするのぉ～？
ぱなまる @panamaru 1時間前 返信先 @kokonaさん
【閲覧注意】これがモノホンの『ノロイの動画』です。
URL:https://www.yautobe.com/noroi?v=ZA6UQ9Lg5Zk
すずきち @suzukichi 2時間前 返信先 @kokonaさん
怖いぞ～。見ちゃダメだぞ～。
ぜんぶ見てこうかぁ
カチカチ

なにこれ！AKYじゃん!!
のろいカメ…のろい…
ノロイってこと!?
あははは
この人バッカみた～い
0:14/3:15
0:02/1:29

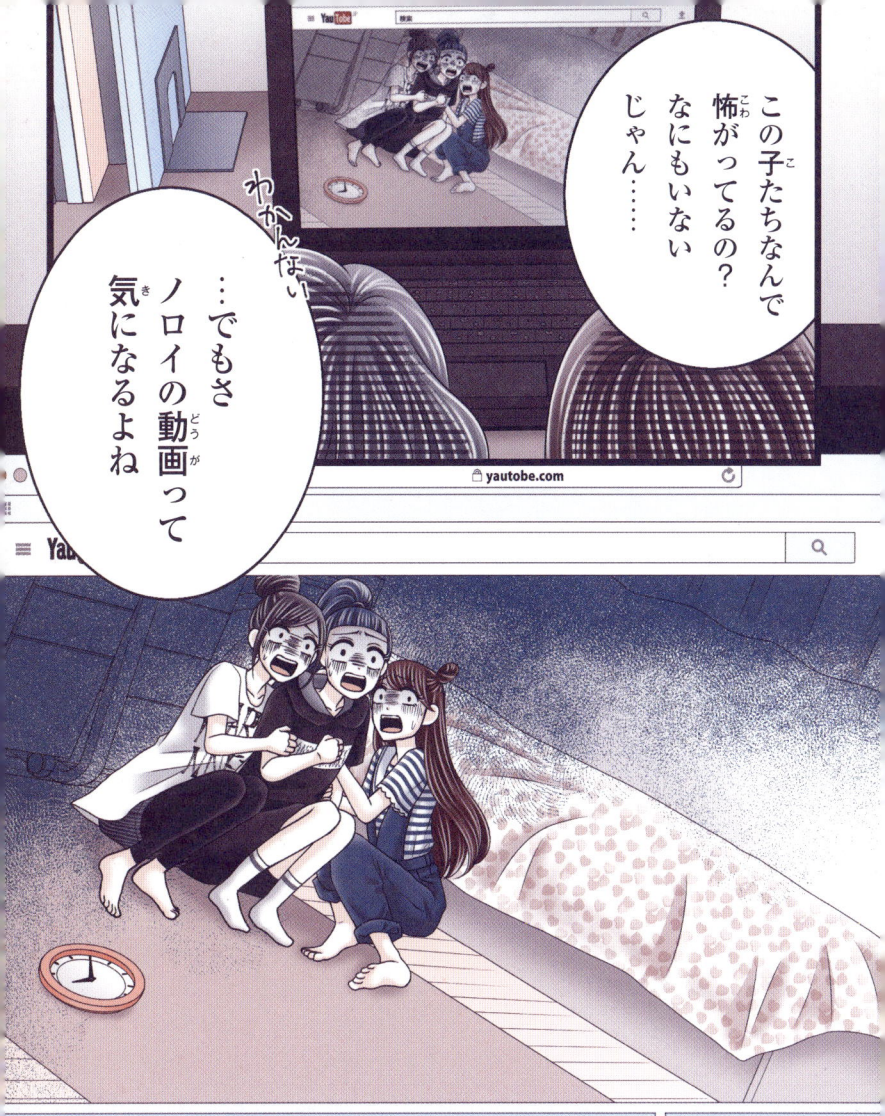

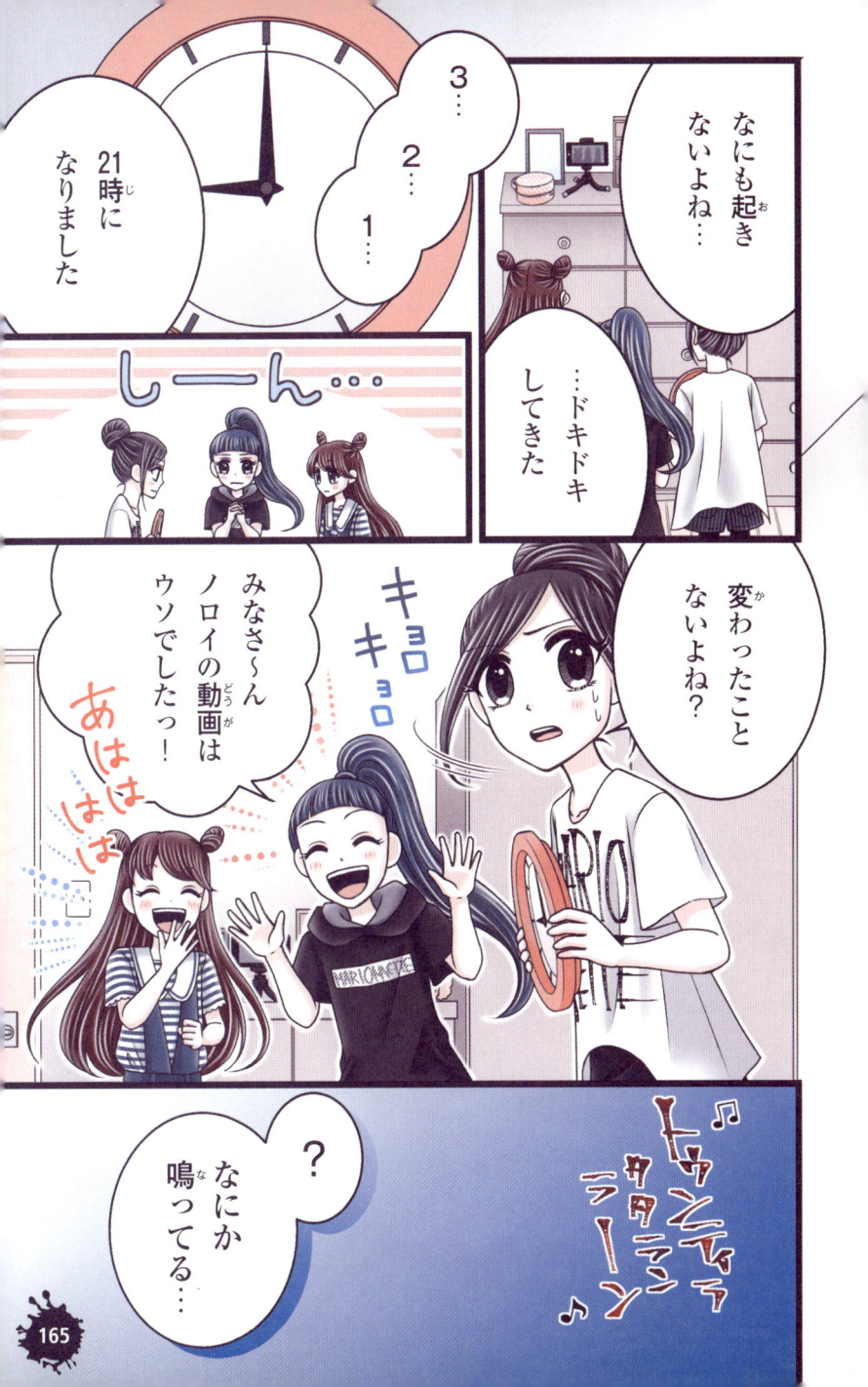

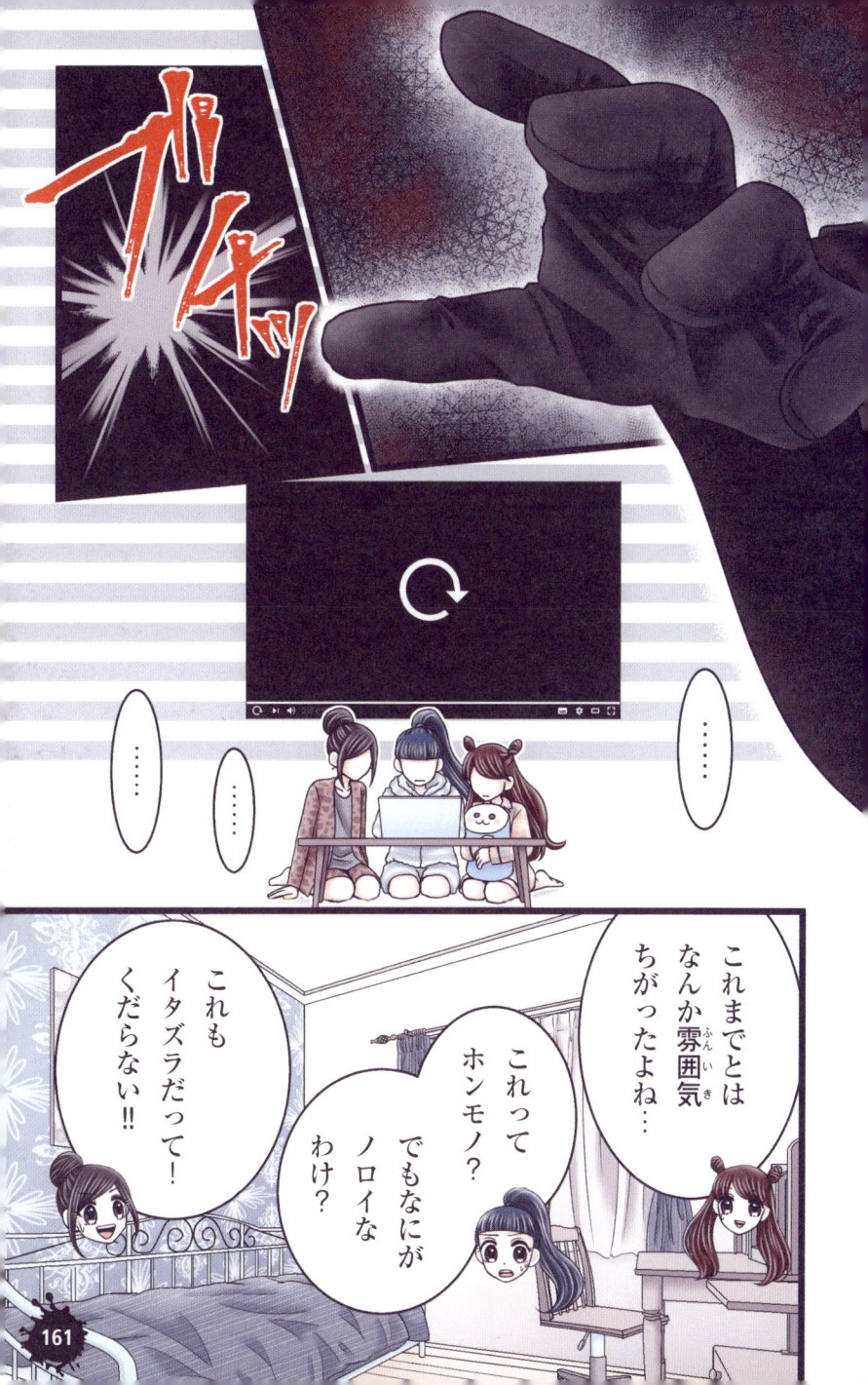

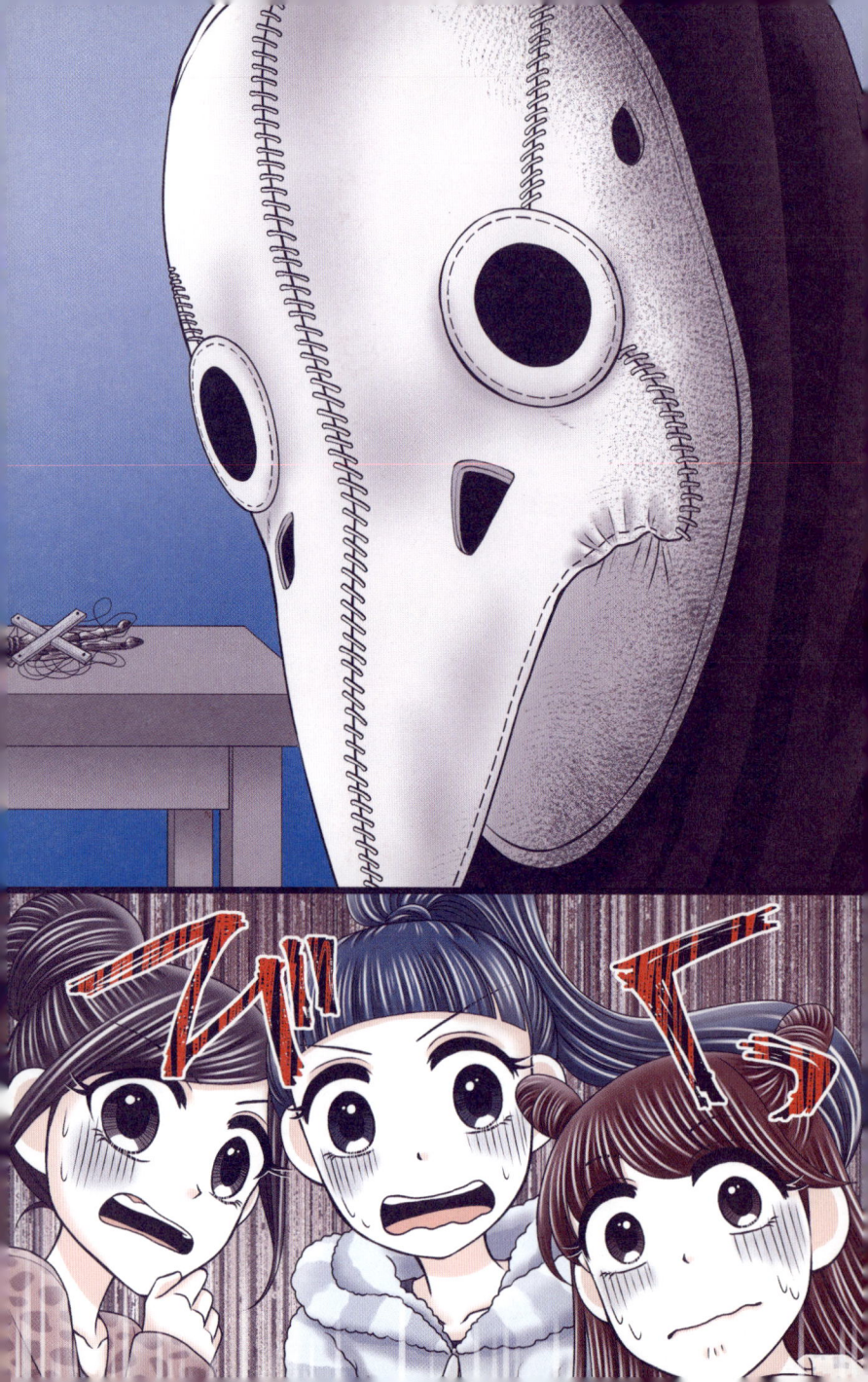

…もうやめよ？時間のムダだって…
そうだね…
ちょっと待って‼
このつぶやき気になる！
XXXX@??????? · 7
返信先:@kokonaさ
コメントなしアカウントも変
期待大でしょ！
じゃあこれでラストね
カチッ
ドゥンティラタタランラーン♪
ドゥンティラタタランラーン♪

ぬっ
♪トゥン♪
ティララタタ♪
ラン♪
ランラーン♪
…なにこれ？
きもちわるっ
バタン

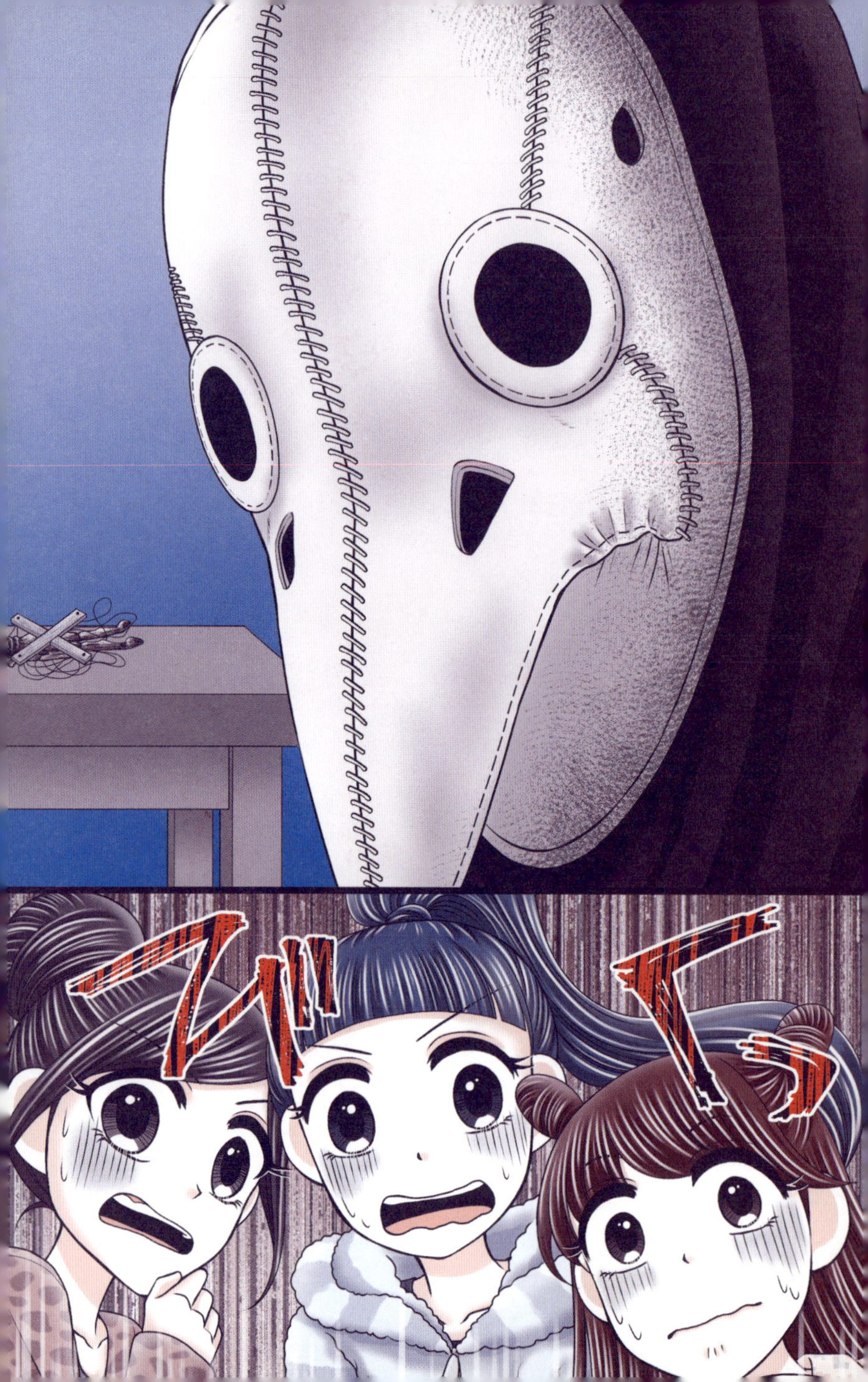
ズアッ

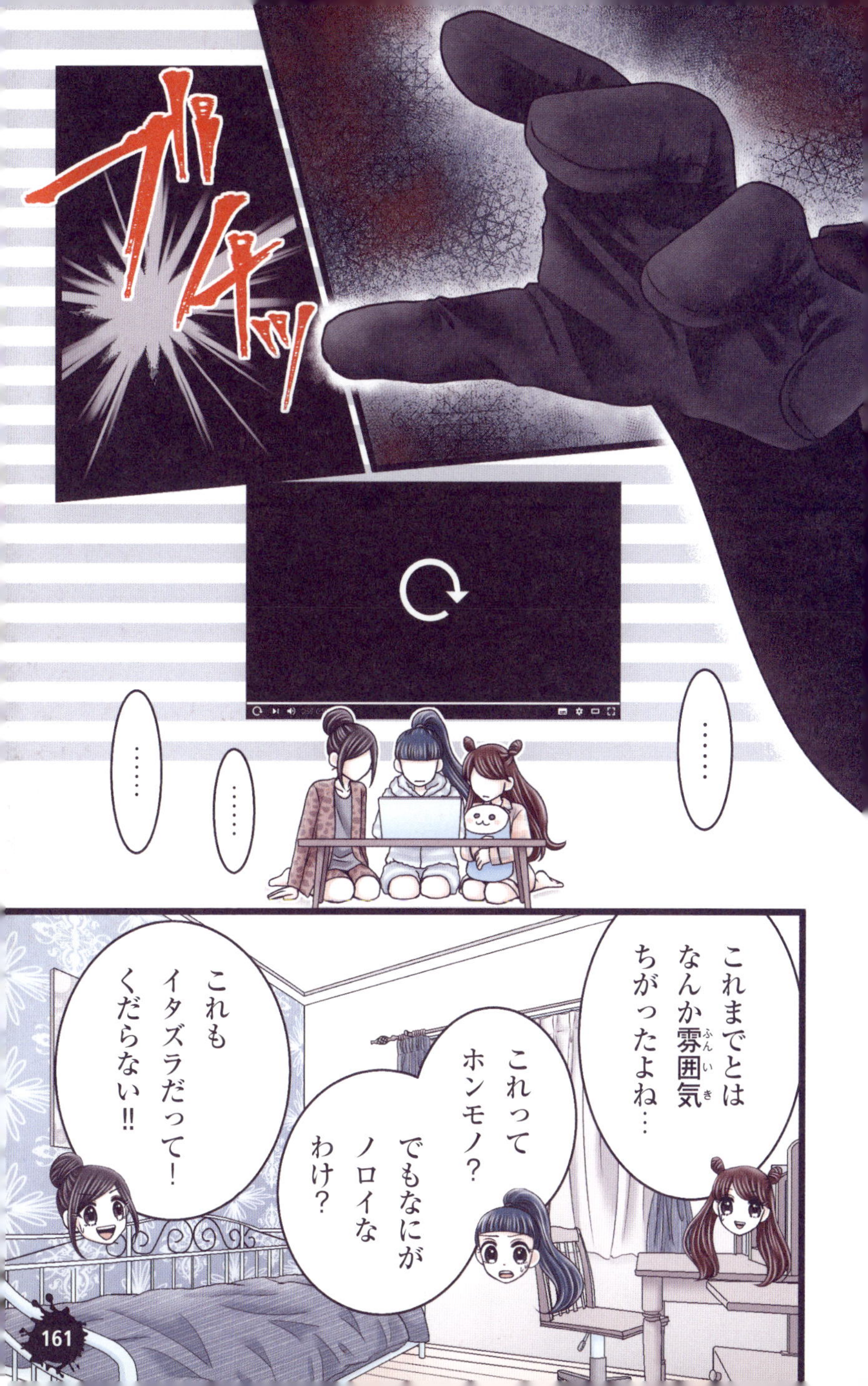
ブムォッ
……
……
……
これまでとはなんか雰囲気ちがったよね…
これってホンモノ？
でもなにがノロイなわけ？
これもイタズラだって！くだらない!!

だ…
だよね
あははは
ステップスのダンス動画見ない？
いいねそれっ‼
うちらノロイの動画見たんだぁ～
ウソだろ⁉
川崎…それでどうだったの？
どうって……？
ブキミな感じ？

オレも見たい!!
あとで動画のURL送ってあげるね
水木くんに動画のURLを送ろうとしたら、つぶやき自体が削除されてたんだよね…
19:04
さっきネットで見つけたんだけどノロイの動画を見ると48時間後に不幸が起きるって……
19:05
既読 2
19:05
それってマジな話!?
既読 2
19:06
でもうちらが見た動画ってホンモノかどうかわかんないじゃん…
ニセモノだと思うけどちょっと気になって…
19:07
ウソだとしてもひとりでいるの怖いよ
19:09
トトト…

19:09
ふたりともビビりすぎ
明日はウチにお泊りで(^_-)
既読 2
19:11
「なにも起こりませんでした☆」
そんな動画を撮影しよっ！
既読 2
19:11
それなら安心だなっ!!
19:12
楽しそう♪♪(*^○^*)
19:13
くすっ
わたしたちはノロイの動画を見ました
48時間後の21時まであと2分です！
00:00:07
スクエア
写真
ビデオ
スロー

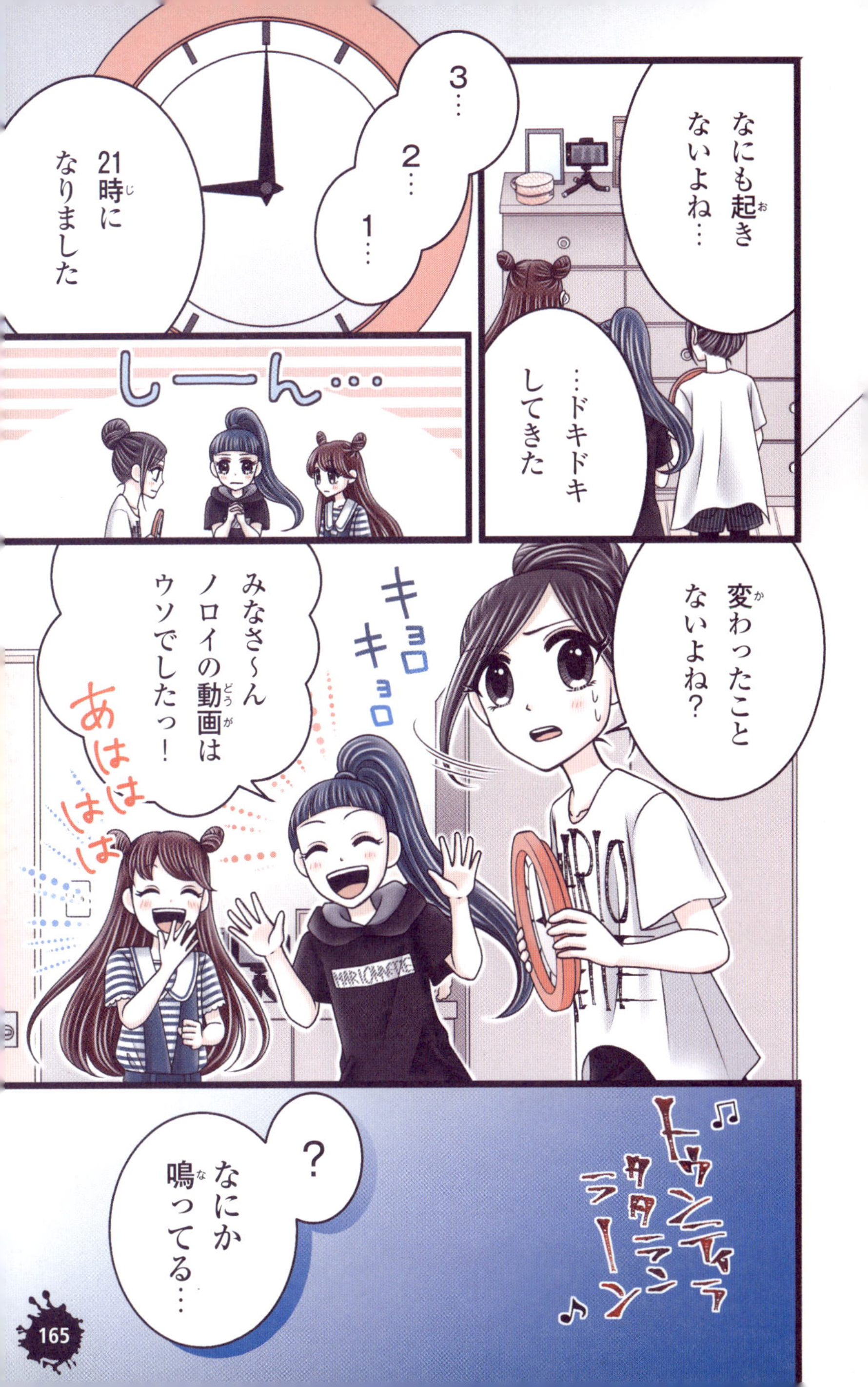
なにも起きないよね…
…ドキドキしてきた
3…
2…
1…
21時になりました
しーん…
変わったことないよね？
キョロキョロ
みなさ〜ん ノロイの動画はウソでしたっ！
あははははは
♫トゥンティラ
タタラン
ラーン♪
？
なにか鳴ってる…

♪
トゥンティララ丹丹ランランラーンピ
え？
なに？
♪
トゥンティララ丹丹ランランラーン
♪
この曲って
あの動画の…
バターン！
ガタッ
怖いよ…
やだ…
やめてよ
ね…ねえ…
あ…
あそこ…
な…んで

ど…動画のマリオネットが
キィ…
やめて…
入ってこないで…
すっ

キャああぁ
こないでえ

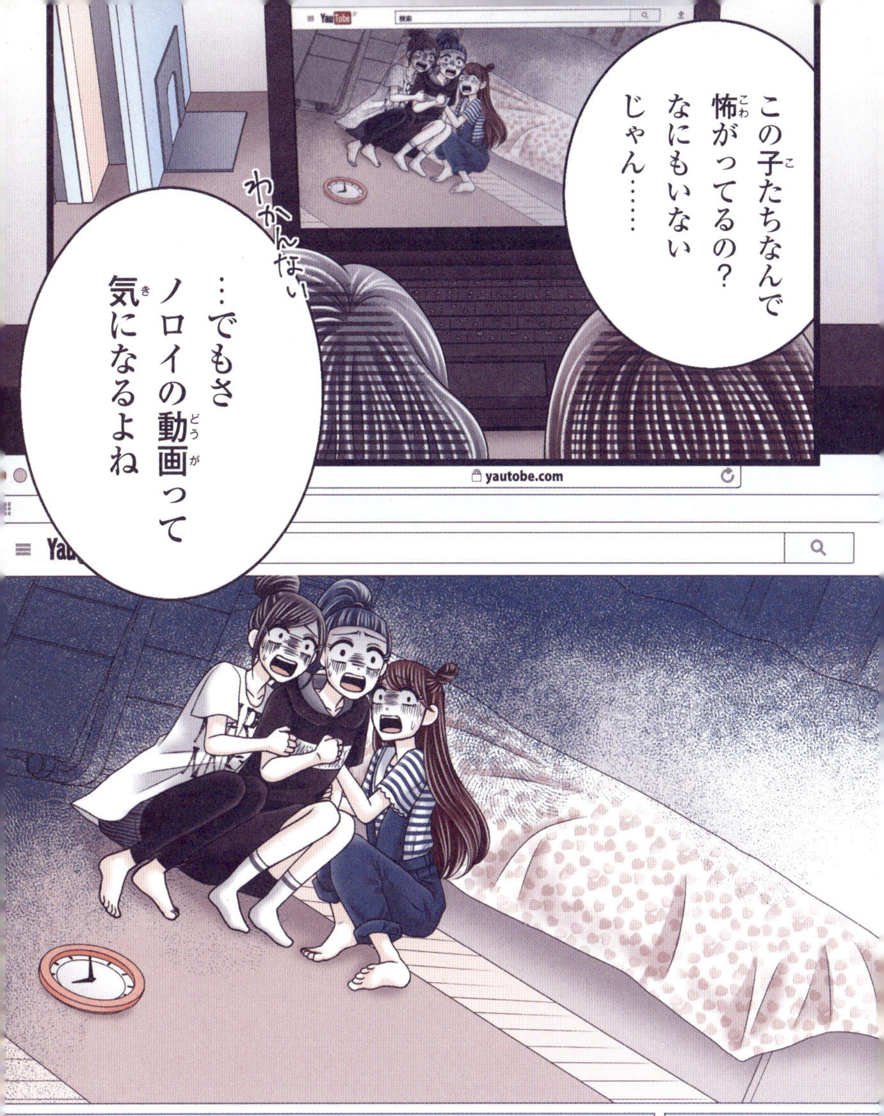

この子たちなんで怖がってるの?なにもいないじゃん……
わかんない
…でもさノロイの動画って気になるよね
yautobe.com

【恐怖実況】ノロイの動画を見たらこうなった…

???????

チャンネル登録 459

視聴回数 86,822 回

追加 共有 その他 290,493 206

次の動画

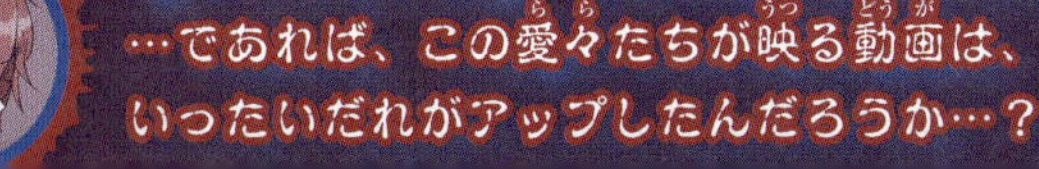

愛々たちはこの後、行方不明になったらしい。
…であれば、この愛々たちが映る動画は、
いったいだれがアップしたんだろうか…？

侵食する恐怖

ゾクッ 恐怖レベル
ノロイの動画 11話
邪悪の印

ふぁ～ー。
暗いなかで見る
怖い動画って
ハマるなぁ～
和香
23:58
Gelogel
怖い話
すべて 動画 画像
https://www.youtoba.com/watc
こちらの動画は夜中に見てはい
必ず眠れなくなるでしょう。
【怖い動画】ー YOUTOBA
ちゃんねるマジで怖い。怖すぎる動画
紹介しています。

眠れなくて怖い動画見てたらさ～
ブキミな人形が踊る動画があって
奈津は知ってる?
それってまさか…ノロイの動画?
ノロイ?
ズッ
4G
恐怖実況4
ノロイの動画を
見たらこうなっ
うちのクラスで流行ってるんだ
霊とかはべつに映ってないしイタズラでしょ

あの悲鳴は本物だよね…
あぁダメ
気になる
検索しよっ
ノロイの動画
すべて 動画 画像 ショッピング
ノロイの動画って
変な人形が踊るものらしい
ノロイの動画を見たら
48時間以内に不幸が訪れる
こんなのただの
ウワサだって！
ガチでヤバイ
絶対に見ちゃダメ！
不幸になるらしい…
だれかが始めた
イタズラだから
信じなくてオッケー
ガッ
なにがホントか
わかんないっ
明日
だれかに
聞こう…

それでー
キャはは
…ねぇ
永田さん
ノロイの動画知ってる？
あー
それって見たら48時間以内に不幸がくるやつ？
…それは知らないや
いいから教えてよ
どうしたら不幸がふせげるの!?
この前ノート見せてあげたでしょ

いや…あたし見てないからっ…
バタ
バタ
大丈夫？
なにあれー
ヒソ
ヒソ
島田がさノロイの動画見たらしいぜ
やばっ
アイツ終わったな
自業自得でしょ
かかわらないほうがいいよね
どうしようこのままじゃ…
ダッ
あれ？和香帰るの？

不幸から助かる方法はどれよっ!!
カチ
カチ
これでもない
これもちがう
怖い動画
動画を見ただけじゃない
だれか助けて!!
ハッ
『ノロイの動画』のノロイから
助かる方法
ノロイの動画を見てから48時間以内に
だれかに同じ動画を見せることで――
あった!

だれかに
動画を見せれば
助かるんだ
はーっ

永田さん…
みんなに
しゃべった
アイツは許せない

今日はなんか
ごめん
ノロイの動画のこと
調べてわかったから
教えるね

URL:https://w
YouTube.com

まだ既読がつかない…　もう時間が…
カチ
カチ
クラス全員に送っちゃお
1-3クラス
面白い動画を見つけたよ みんな見て https://
ニヤッ
みんな不幸になればいい…
これでわたしは大丈夫!!
ポスッ
ピロン
ピロン
ピロン
ピロン
…ん？
だれかから返信かな

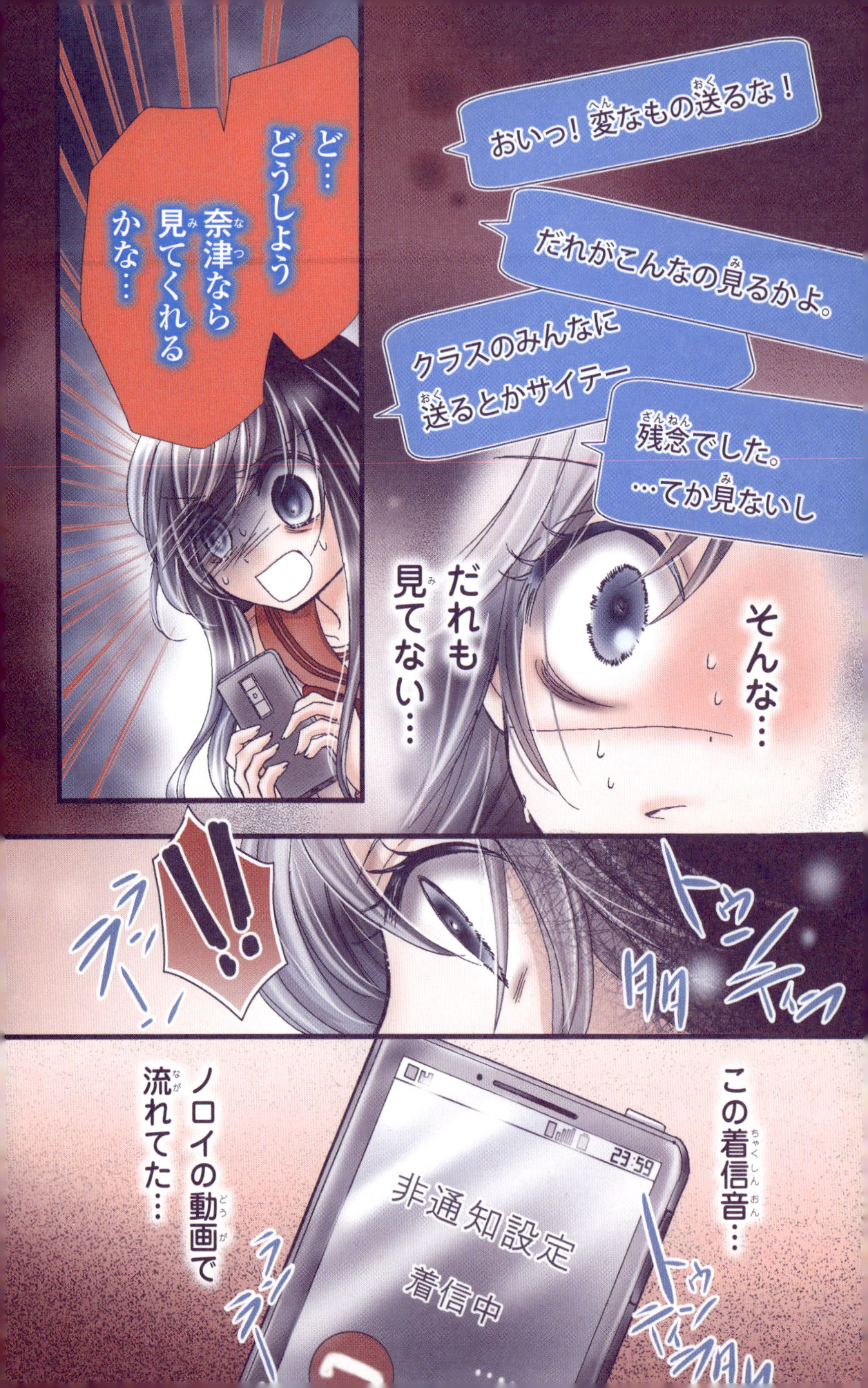
おいっ！変なもの送るな！
だれがこんなの見るかよ。
クラスのみんなに送るとかサイテー
残念でした。…てか見ないし
ど…どうしよう 奈津なら見てくれるかな…
そんな…
だれも見てない…
!!
この着信音…
ノロイの動画で流れてた…
23:59
非通知設定
着信中

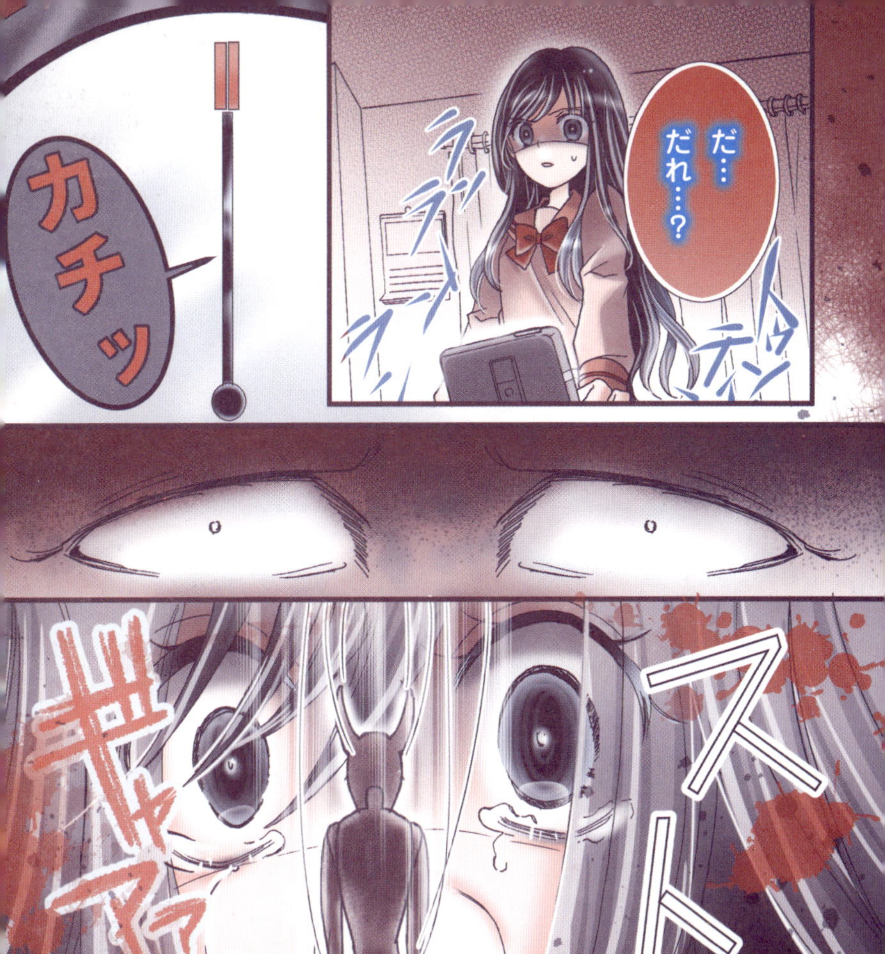

ノロイの動画を見たら48時間後に不幸が訪れる。
このウワサはどうやら本当らしい…。
しかし、これはいったい何者のしわざなんだろう…。

特集マンガ
ノロイの動画3

ノロイからの解放

ゾクッ
恐怖レベル
ノロイの動画
12話
邪悪の印

ワイ
きゃっ
きゃっ
ワイ
きゃっ
真奈！1組の子が来てるよ！
もじ もじ もじもじ
またたのまれごと～？
はーいっ!!
真奈は天使みたいに優しいもんねぇ
真奈

八坂さんに見てほしい動画があって…
もしかして…みんながウワサしてるノロイの動画？
たったったったっ
ぎくワッ
わっ…わたし動画を見ちゃったの夜の7時までにだれかに見せないと不幸が起きちゃう
…で…でも見てくれる友だちいなくて…
お願い…
YouTube
あとでその動画を送って‼
わたしが必ず見るから大丈夫だよ
ぽんぽん
ホント⁉

約束したし
見ないとね…
ピッ
トゥンティラタタランラーン♪
トゥンティラタタランラーン♪
なに…これ…
変な動画…

ティロリン♪
それにしても
手のこんだ
イタズラだな…
新着メッセージ
圭
夜の7時をすぎたけど
なにもなかった。

夜の7時をすぎたけど
なにもなかった。
よかったー!!（´▽`）
八坂さんのおかげだよっ!!
八坂さんも48時間以内に
だれかに動画を
見てもらってね。
そうすれば不幸は
起きないから。
八坂さんは友だち
多いから平気だよね
o(≧▽≦)o
48時間以内にだれかに見てもらえば
不幸は起きない…か
ブルブル
そんなのダメ…
だれかに見せたらその子が困る
——2日後
真奈おはよっ
勇輝…おはよ…
どうしたんだよ…元気ないじゃん
おとといの夕方…ノロイの動画ってやつ見ちゃったんだよね…
なんかブキミな人形がでてきた…

それ…だれかに たのまれて しかたなく 見たんだろ?
ぎくっ
…わたし ぜんぜん 信じてないし
そうだよ ただのウワサに 決まってん だろ!!
うん…
ありがとね 勇輝
……

人形がでてきたならその動画はホンモノかと…
へ〜
西中でその動画を見た女子がいたそうです…
パニクって動画のURLをクラス全員に一斉送信したんですが
ウワサが先にまわっていたらしく
だれひとりノロイの動画を見なかったそうです
そこまでは…
でも…ずっと学校を休んでるみたいです
それでその女子はどうなったんだ？

ノロイの動画にはかかわらないほうがいいかと…
ダメだよっ!!
そんなことしたら勇輝に不幸が
おれもその動画見るよ
くだらない恐怖の連鎖をいますぐ止めたいんだ
それには動画を見てノロイをとく方法を考えないと
勇輝…

マリオネットと
何者かがかぶって
いたマスク…
ここに
ヒントが…
カキ
カキ
カキ
カキ

真奈
うまいな
くわしい
やつらに
情報を
もらえるかも
そーかな??

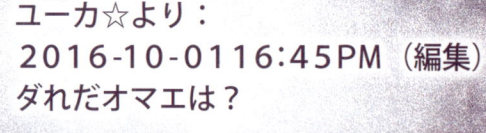

よかった
48時間後の
18時をすぎても
真奈にはなにも
起こってない…
しらべてみないと!!
カキ
カキ
『恐怖実況
ノロイの動画を
見たらこう
なった…』か

動画のなかのマリオネットは悪魔みたいだよ
大昔のヨーロッパでペストという伝染病が流行った
それを治療する人物たちがこんなマスクをかぶっていたらしい
悪魔…
恐怖の拡散
実験…
なかには医師の資格を持たず適当な治療を試すような「実験主義者」と呼ばれる人物もいたらしい
なんだかすごくブキミ…

この動画はユーカ☆のブログから広がったっていうウワサがあるらしい
1年前くらいに亡くなったアイドルの？
彼女は心ないやつの書きこんだコメントがきっかけで
そう…だったんだ…
多くの人にネットであることないこと書かれて精神的にまいってしまい引退…
その後不慮の事故で亡くなった…
彼女が亡くなった後もなぜかブログが不定期に更新されているらしい
…え

ファンの間じゃユーカ☆の怨念だって…
ノロイの動画も彼女の怨念ってことなの…？
おそらく…身勝手なネットのウワサに恨みをもつ彼女はネットを使って復讐を…
ユーカ☆のブログにコメントを送ってみよう
最新コメントが10分前にアップされてる…
どうして…
ずっと大好きだよ
永遠のファンよ
210 無題[NEW!]
2016-10-0
テーマ:
ツライ
クルシイ
ユルサナイ
これって…彼女が？
コメントする

カタカタ
カタ
もうひとりで
苦しまないで
ください
ブツッ
うわっ
きゃあっっ!!?
なんで電気が…!?
勇輝怖いよ…
だ…
大丈夫だよ
真奈…
大丈夫!!
ゆ
…勇輝…

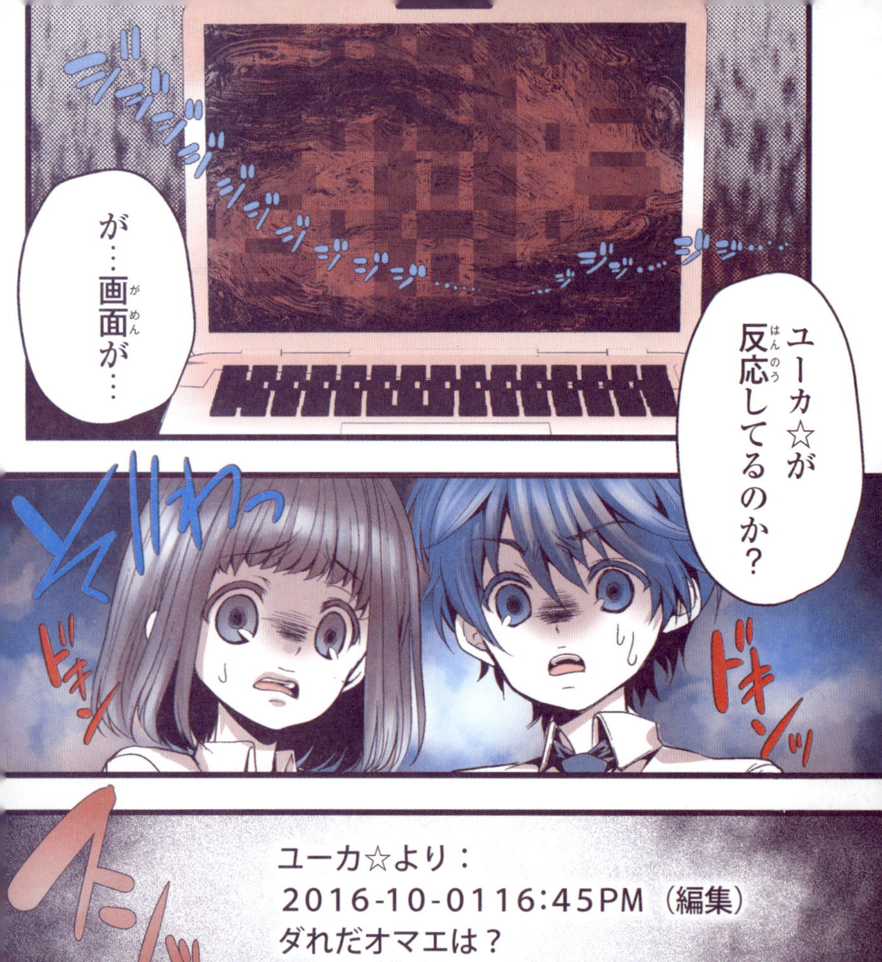
ジジジジジジジジジジジジジジ……ジジジ……ジジ……
ユーカ☆が反応してるのか？
が…画面が…
ぞわっ
ドキッ
ドキッ

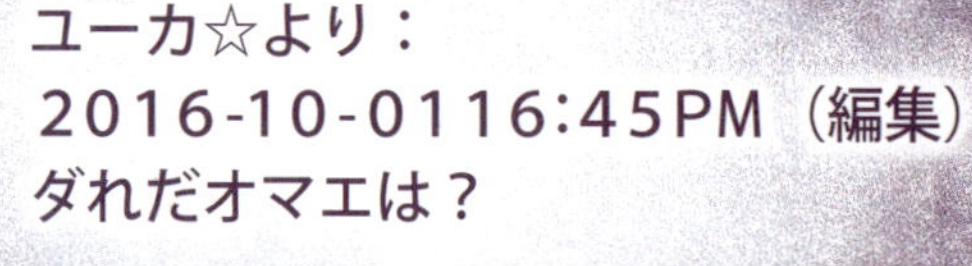
タンッ
ユーカ☆より：
2016-10-0116:45PM（編集）
ダれだオマエは？

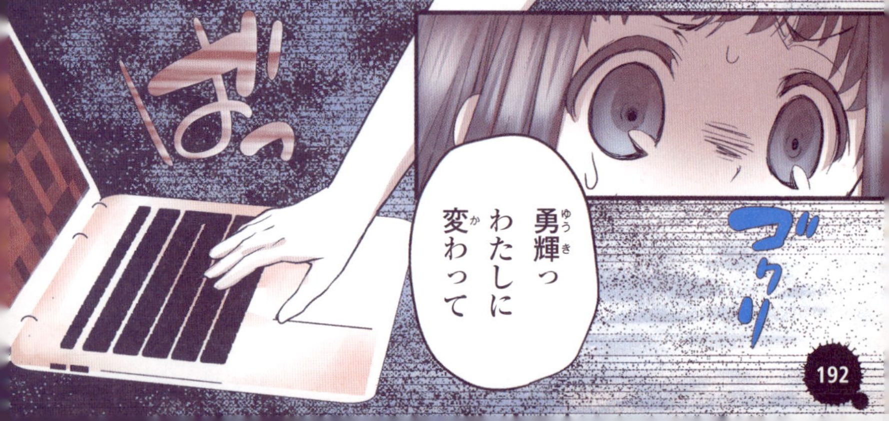
ばっ
ゴクリ
勇輝っ
わたしに
変わって

カタ カタ カタ

ずっとひとりで
辛かったですよね

あなたはなにも
悪くありません

あなたの辛い気持ちを
聞いてあげたいです

だからノロイの
動画なんてやめて
ください

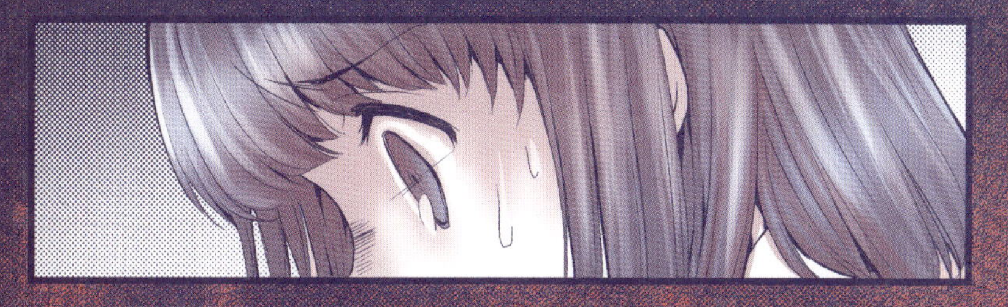

ユーカ☆さん
そんなことしても気持ちは
ラクにならないはずです。

お願いです。

ノロイの動画なんて
やめてください。

あなたの気持ちはわたしが
しっかりと聞きますからっ…!!

真奈(まな)！ 見(み)て！

ユーカ☆より
2016-10-0117:05PM（編集）
………わかった

これって
う…うん
気持(きも)ちが伝(つた)わったってことだよな！
ユーカ☆さん…ありがとう

はっ
よかった…勇輝にもなにも起こってない
ホッ…

勇輝にノロイが起きたらどうしようって
でもこれですべて解決だね… ありがとう勇輝！
ノロイを消滅させたのは真奈の熱い想いだよ
ぽんっ
勇輝がいたからがんばれたの
おれもだよ!!

大丈夫なの？
もう心配ないよ!!
あれから
わたしの学校で
ノロイの動画の
話をする子は
いなくなりました
ピッ
ジジジジジジジジジジジ…ジ
ジジ……ジジ……
スッ
ユーカ☆より　2016－10－10 15：00 ＰＭ（編集）
ワタシのキモチ　キイテくれるんダヨネ

ユーカ☆の怨念とノロイの動画は関係がなかったらしい。
恐怖に勝ちノロイを止めようとする気持ちこそが
ノロイをとく方法だった。でも…この後は大丈夫かな…

最後の審判のとき
全員がついに集合

遅い、遅すぎる！　いったいどれだけ待たせれば気がすむんだっ！　オレさまを待たせるなど、本当にいい度胸だ…。

まぁまぁレイパー、そんな怒らずにゆったりと待ちましょうよ。怒ってばかりいては、体にも悪いですしね。

そうだ。それにまだ時間もそんなにたっていない。いま闇月たちがこっちへむかう姿が見える。もうすぐだ。

……ねえ、麗。ちょっと待ってよ。さっきからあわてて、どこにむかっているの？　屋敷に帰るんじゃないわけ？　わたし早く屋敷へもどって、みんなに会いたいわ。

フランソワ、ごめんなさい。屋敷にはまだ帰れそうにないわ。わたしたちはいそいで『裁きの場』へむかわなければならないの。すでに世界のバランスがくずれ始めているみたいだから…。

裁きの場？　世界のバランスがくずれ始めている？　麗、それっていったいなんの話なの？　わからないわ。説明してちょうだい。

ごめんなさい。説明している時間がないの。裁きの場につけば、いろいろとわかるはずだから…。さぁ、ついたわ。

メルス
リエル
ティマ
エイブ

デモン
ブラクル
レイパー
クリクチャー

「みなさん、お待たせしました」
わたしたちが裁きの場に到着すると、全員の視線がいっせいに集まった。

いそがせてしまい、すまなかった。だが、われわれも、想定外の『世界のバランスのゆがみ』におどろいている。もう時間をかけて、結論を話しあっている場合ではなくなってしまった。一刻も早く、この事態をなんとかしなければならないのだ…。

…こ、ここが裁きの場？　なんだか不気味な場所よね。それより、ここにいる人たちって、いったいだれなの？

フランソワはわたしの耳元でこっそりとたずねた。いつもクールな彼女も、このときばかりは異様な空気に少し緊張しているようだった。

手前にいるふたりが、この世界を創った神、創造主のクリクチャーとエイブ。そしてむかって左奥にすわるのが、地獄の住人のデモン、ブラクル、レイパー。最後に、むかって右奥にすわるのが、天界の住人のメルス、リエル、ティマよ。

さっきから、ごちゃごちゃとなにをしゃべってやがるんだ。そろったんなら、さっさと始めようじゃないか。

ちょっと、待ってください。裁きの場に呼びたい仲間がいます。いますぐこの場に集めますから…。

（ケン、ミシェル、シュナイザー、ヒカル。いますぐに集いたまえ…。集いたまえ…）
わたしは4人がここに集まるよう念じた。

スッ
!!
ヒュン
パチン
スッ

……ん？　あっ、闇月さん！　ぼくらを呼んだのはやはり闇月さんでしたか。いったい、ここはどこなんですか？

……っ!!　闇月さん、フランソワ、サーヤじゃないっ！　こんなところでなにをしているの？　早く屋敷へもどりましょ。

……ここは？　……あれっ、闇月さんおかえりなさい。…これから、ここでパーティー…じゃ…ないよ…ね。

………っ……ん？　ここはどこだ。………もしかして裁きの場なのか？　でもどうしてぼくたちが、裁きの場に…？

……あなたたち4人を裁きの場に移動させたのはわたし。きちんと説明したいのだけれど、いったん待ってほしいの。

ガタッ　ガタンッ!!

デモンがいきおいよく立ち上がる。

おいおい、なんだなんだ。つぎからつぎへゾロゾロと。おまえの仲間とやらは、全員そろったのか？　もう十分待ったんだ。クリクチャー始めよう。

みなさん、わたしの仲間は全員そろいました。『最後の審判』を始めていただいてかまいません…。

ちょっと、フランソワ。いったいなんだっていうの？　さっぱりわけがわからないんだけど…。ひさしぶりにみんなに会えたっていうのに裁きの場？　最後の審判？　いまからなにが始まるっていうの？

そうよね、ミシェル。わたしたちもさっき到着したばかりで、状況がわからないままなの。それに闇月もなんだか変なの。ゆっくり説明できないって言うし……。

…なぁ、ヒカル。さっきここへ到着したとき、きみはここが裁きの場だと知っているような口ぶりだったけど……。

うん。屋敷にあった古い書物のなかに天界・人間界・地獄の関係についてまとめた、ぶあつい本があったんだ。

その本によると、天界に近い異空間のどこかに「裁きの場」という場所が存在し、そこでこの世界の創造主と、天界の住人、地獄の住人の代表者が集まり、重要な判断をくだす会議が行われることがあるって……。

おいっ、そこのおまえら。さっきからうるさいぞ！　なにかの相談でもしているのか？　さっさとそこにすわれってんだ。

そうだな、闇月たちも証人台のうしろにあるイスにすわりなさい。

さぁクリクチャー、最後の審判を始めよう。

クリクチャーとエイブは細長い笛をくわえた。

そしておたがいに息をあわせるようにうなずきあってから、美しい和音を奏でた。

リルトゥルリルケー♪

リルトゥルリルリルケー♪

（ついにこのときが、やってきてしまった……）

わたしは気持ちをしずめるために、大きく息をはいた。

それではこれより、『人間界を存続させるべきか、消滅させるべきか――』最後の審判を始める。まず最初に状況を説明しよう。

わたしとエイブが創ったこの世界は、天界・人間界・地獄、そしてそれぞれの世界の間にある異空間でなりたっている。

人間が死ぬと、その魂の美しさによって天界行きか、地獄行きかにふりわけられるが、最近は汚れた魂が増えるいっぽうで、地獄に堕ちる人間ばかりになってしまった。

このままでは地獄がパンクしてしまい、地獄の住人たちがあふれでてしまう…。

デモンたちからの訴えを聞いたわれらは、地獄のすぐそばの異空間に「擬似地獄」なるものを創ることにしたのだ。

わたしたちが出かけていた地獄タウンのゲヘンナ城のことね。

たしか、地獄行きの可能性が高い人間たちに、生きている間に自分自身の悪い考えや行いについて、気づき正してもらうための場所よね。

そうよ。わたしたちはこれまでゲヘンナ城で、擬似地獄の門番をするジャックのお手伝いをしていたの。生きている間に地獄の苦しみを体験し、自身を見つめ直してその後の人生を美しい魂で生きてもらう。地獄行きの人間を減らすのが、擬似地獄の目的だった。

最初は少し、効果があったかもしれん。でもどうだ…。けっきょく地獄に堕ちてくる人間はあとをたたん。それどころが、以前よりもどんどんと増えている。

地獄は完全に定員オーバーで、もうパンク寸前なんだ。すでに人間界と地獄をつなぐ異空間に、魑魅魍魎たちがあふれだしているぞ。ハッハッハハハハ。

(異空間に魑魅魍魎が…？　もどってきたときに感じた人間界の異変はこれが原因なの…？)

う～ん。天界・人間界・地獄・異空間・擬似地獄…。頭がこんがらがってきた。

なぁヒカル、図で説明してくれよ。

しかたないなという表情を見せつつも、ヒカルはなにやらノートに書きだした。

ちょっとまとめてみたよ。図にすると、こんな感じかな。これならシュナイザーも理解できるだろ？

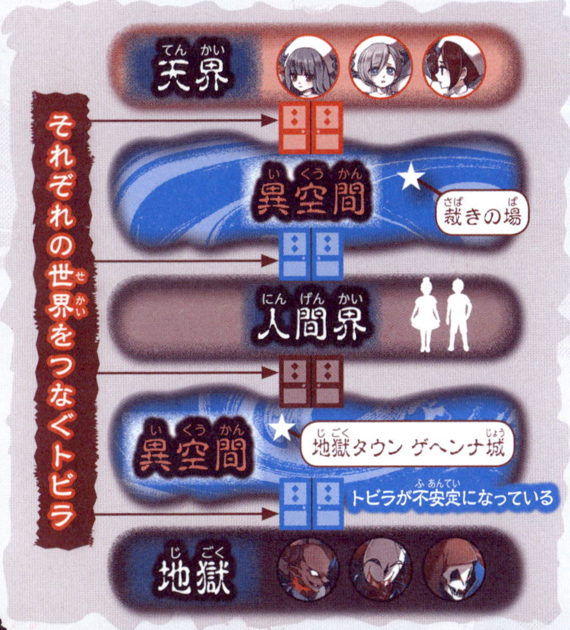

ああ、なげかわしい。人間はじつに愚かだ。擬似地獄という環境を与えてやっても、時間がたてば忘れてしまう。

そして何事もなかったかのように、また自分本位で生きていく。

異空間に地獄から魑魅魍魎があふれでてきたってことは、地獄と異空間のはざまにあるトビラが不安定になっている証拠よね？

このままじゃ、近いうちに人間界と異空間、地獄がいっしょくたになってしまうわ！

……そう。各世界の仕切りがなくなってバランスがくずれたら、すべての世界が崩壊してしまう……。

こまった。本当にこまった事態だわ……。

ハア〜。リエルは頭をかかえ、大きなため息をつく。それに続くように、メルスもティマもがっくりと肩を落とした。

おれたちは人間にチャンスを与えてやった。しかし人間はそれをいかせなかったんだよ。

もういいだろ。人間界なんて消滅させてしまえ！

そうだそうだと、ブラクルとデモンが大きな声を上げてさわぎたてる。

そんな乱暴な！すぐに消滅と判断するのは早すぎる。なにか解決策がないか、みんなで考えないと。

解決策なんてありゃしないぜ。人間界では「バカは死んでもなおらない」なんて言うんだろ。まさにそのとおりだ。人間のバカはなおらないんだよっ！

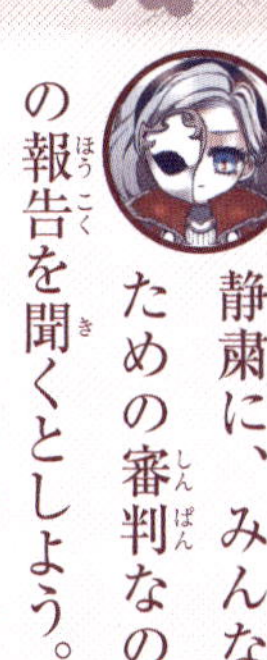

静粛に、みんな静粛に。その結論をだすための審判なのだ。つぎは、闇月麗たちの報告を聞くとしよう。

こういった事態が起こったとき、公平な判断をくだすために、われわれは闇月麗を人間界へと送りこんでいたのだろ。人間の生態をすぐ近くで調査するために。

わたしはゆっくりと立ちあがった。

そして、ケン、ミシェル、シュナイザー、ヒカルを見つめた。

……みんな。ここまでの話は理解できたかしら？　エイブが話したとおり、わたしは天界・人間界・地獄・異空間のすべてを行き来できる存在として、人間を調査する目的で人間界で暮らしていたの。

ひょんなことからゲヘンナ城でジャックを手伝うことになったとき、代わりに調査を続けてもらう存在が必要だった。そこでわたしは、あなたたち4人を人間界に呼んだの。

興味をもつ対象も性格もちがうけれど、自分の意見をしっかりもっている。だからこそ、責任重大なこの任務にぴったりだと考えたのよ。

ごめんなさい。いままでなにも話せなくて。

あくまでも中立な立場で調査を行ってもらうために、話すことができなかったの。

……そうだったのか。じつはぼくらも最近の人間界の異変が気になっていたんです。

人間界と異空間、地獄がいっしょくたになる…。想像するだけでもおそろしいですよね。

このお話は303ページへ続きます……。

絶叫13話 カーナビ

恐怖レベル

カーナビは全国どこへでも道案内してくれる。
でもね……ときどきおかしな場所に
導かれちゃうことがあるらしいよ…。

お姉ちゃん
水族館楽しかったね
カズちゃん今日はありがと♪
貴重な休みにいとこの子守なんて
どうせヒマでしょ？

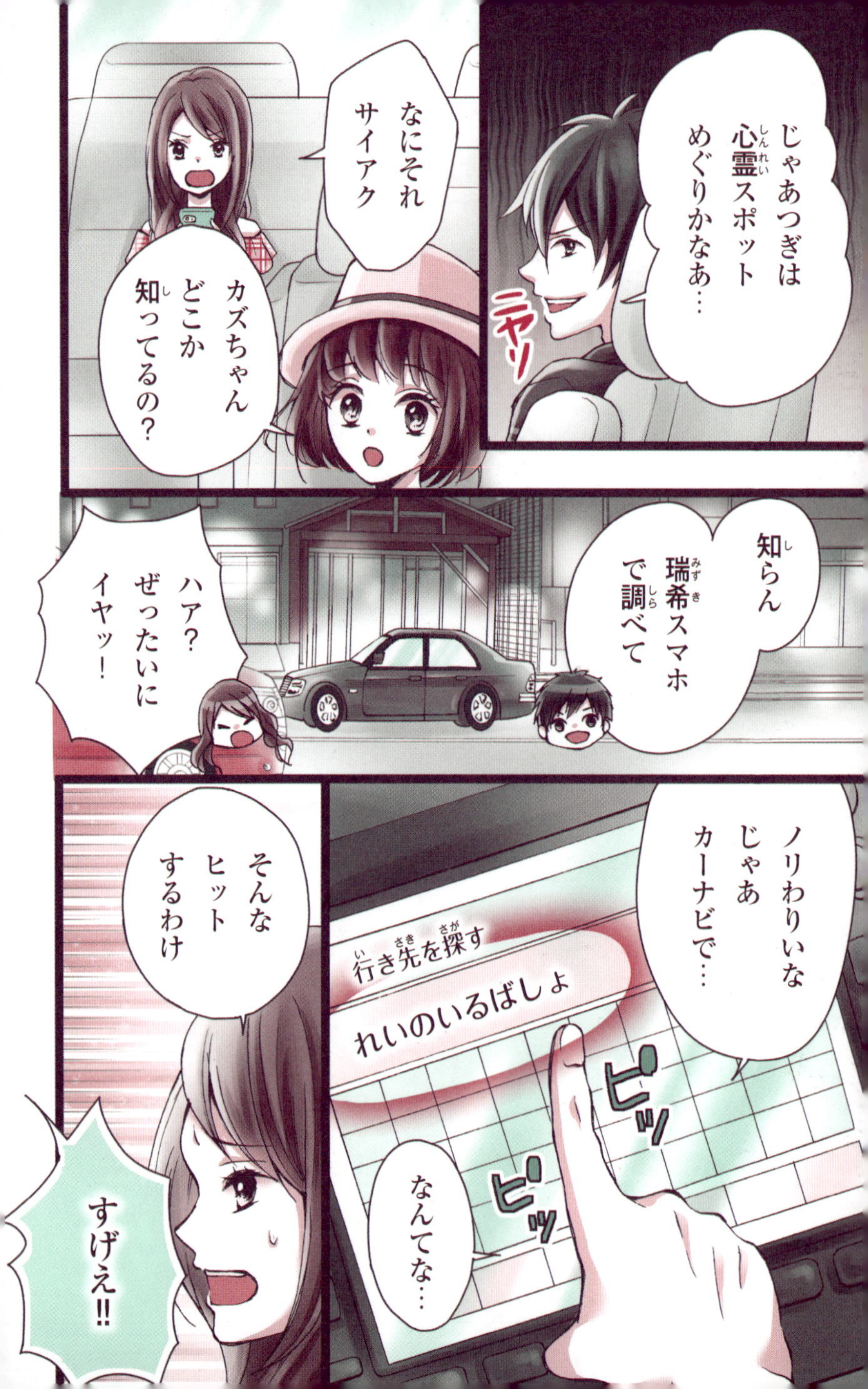
じゃあつぎは心霊(しんれい)スポットめぐりかなあ…
ニヤリ
なにそれサイアク
カズちゃんどこか知(し)ってるの？
知(し)らん瑞希(みずき)スマホで調(しら)べて
ハア？ぜったいにイヤッ！
ノリわりいなじゃあカーナビで…
行(い)き先(さき)を探(さが)す
れいのいるばしょ
ピッ
ピッ
そんなヒットするわけ
なんてな…
すげえ!!

ピピッ
1件ヒットしたぞ!!
霊のいる場所
10.0km
所要時間
15分
行ってみようぜ!!
目的地まで10km
20時30分の到着です
ここから15分か…
ずいぶん丘をあがるみたいだな…
ホント男子ってくだらない
なんだか暗い山道だね

目的地周辺です
10.0
所要時間 15分
目的地周辺です
ここが目的地？
ふつうの道だけど

ばんっ
ばんっ
目的地周辺です
あれって…
なにこの音？
周辺です
目的地周辺です
辺です
目的地周辺で…
周辺です
目的地周辺です
目的地周辺です
目的地周辺です
目的地周辺です
ね…え…
目的地周辺で
ばんっ

まってたよ
ばんっ
ばんっ

満月の夜っていつもとちがう雰囲気があるよね。
そんな晩の影には注意したほうがいいよ。
だって影に目があらわれるらしいから…。

そう!! 自分の影に目があらわれるのっ
フーン
信じてないな…
その影の目と目があったら最後らしいよ
最後って…どうして?
それはね…
ピルルルル
あっ
もしもしすばる? うん…そう

さっきの話
わたしが怖がると
思ったのかな
影かぁ…
ゆらっ
ん!?
なんだ…
気のせいか

…ウソ⁉
…目？
ズ
ズズズ
ズッズッ
ギョロッ
ギョロッ
目があったら
最後らしいよ
ガタ
ガタ
ギョロッ

ゴゴゴゴ
ゴゴゴゴ
きゃあああああぁぁ
ピコン
さっきの話の続きだけど
自分の影の目と目があうと影にのみこまれちゃうんだってよ…
ガシャン

あらまた点数が下がってる…
こんな点数お父さんには見せられない！
ドン
あなた塾でちゃんと勉強してるの!?
し…してるよ
感動
恐怖レベル
手首のアザ
邪悪の印
15話
イレカワリ…
勉強ばっかりもうイヤ…
もうなにもしたくない…

わさんぽん
老人ホーム
ガヤ
ガヤ
ガヤ
じゃあ今日はみんなであやとりをしましょう！
つぐみ
つぐみちゃん？
ボランティア活動なんて本当はしたくない…
ただこの日だけは塾に行かなくていいから…
あなたつぐみちゃんっていうのね
ええはい…

つぐみちゃんは
いつもなににして
遊んでるの？
聞かせて
ちょうだい
べつに
なにも…
…え？
んん…
勉強ばっかりの
毎日でうんざり
してる…
中学受験
なんて本当は
すっごくイヤ…!!
もう勉強なんて
したくない！
…つぐみ
ちゃん

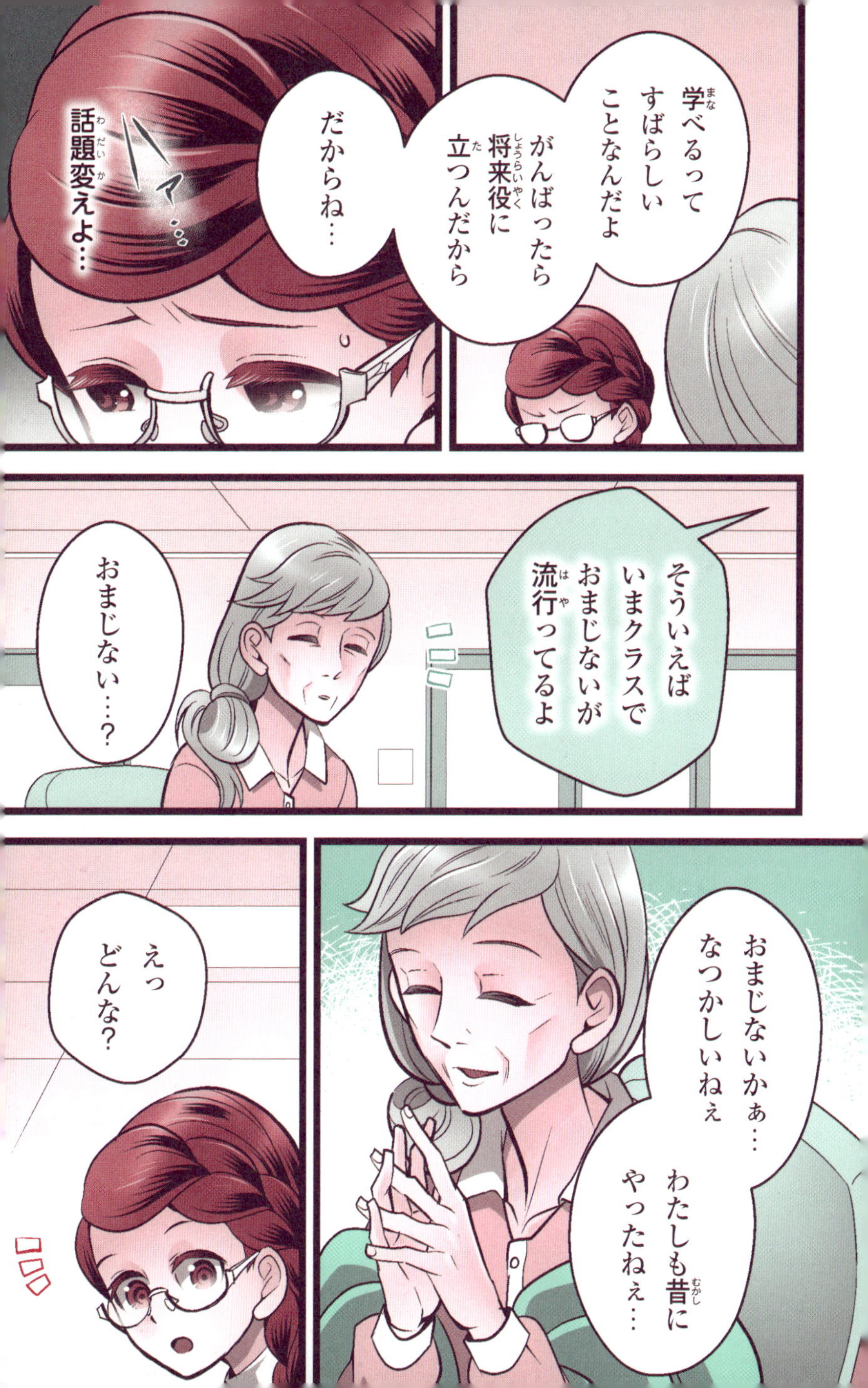
学べるってすばらしいことなんだよ
がんばったら将来役に立つんだから
だからね…
ハァ…
話題変えよ…
そういえばいまクラスでおまじないが流行ってるよ
おまじない…?
おまじないかぁ…なつかしいねぇ
わたしも昔にやったねぇ…
えっ どんな?

たしか…イレカワリのまじないだったねぇ…
イレカワリのまじない…？
だれか24時間だけ入れ替われるんだよ
なにそれ楽しそう！
やってみたいかい？
うんっ！
じゃあ今度つぐみちゃんが来るときまでにくわしいやり方を思いだしておくよ

なんなんだ
この点数は！
ちゃんと勉強
させてるのか⁉
だったらあなたが
つぐみの勉強を
見てあげてよ！

もうやめて……
できるわけ
ないだろう
おれは仕事で
忙しいんだ！
忙しい忙しいって
そればっかり…
またケンカ…
老人ホーム
わさんぼん

つぐみちゃん
こんにちは
こんにちは
あのおまじない
やり方をぜんぶ
思いだしたよ
本当!?
うん
やり方を書いた
ノートを
見せてあげるね
24時間以内に
もう一度まじない
をすればもとに
もどれるんだよ
本当だ…
すごい…!
…おばあちゃん
はいいなぁ

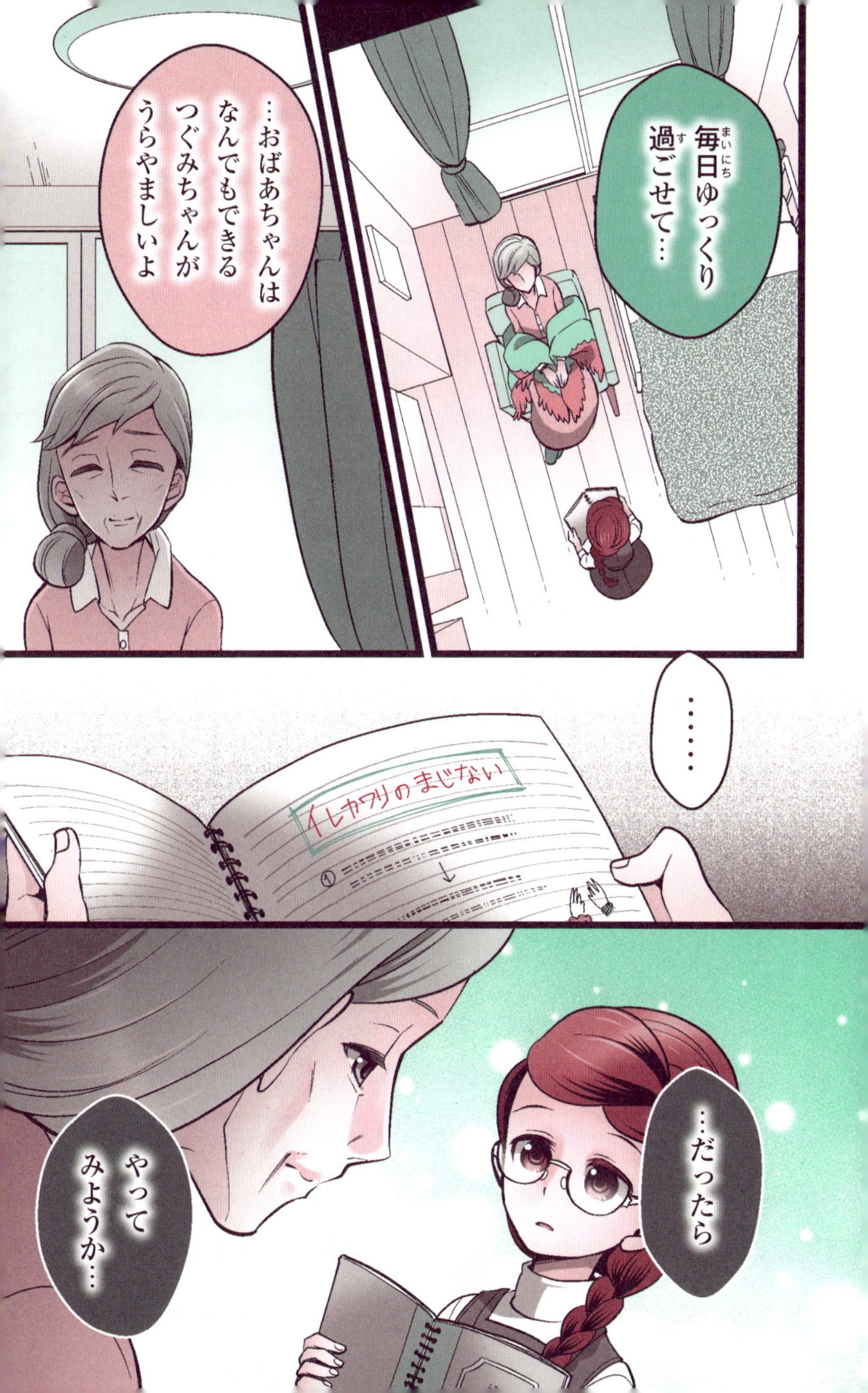
毎日ゆっくり過ごせて…
…おばあちゃんはなんでもできるつぐみちゃんがうらやましいよ
……
イレカワリのまじない
…だったら
やってみようか…

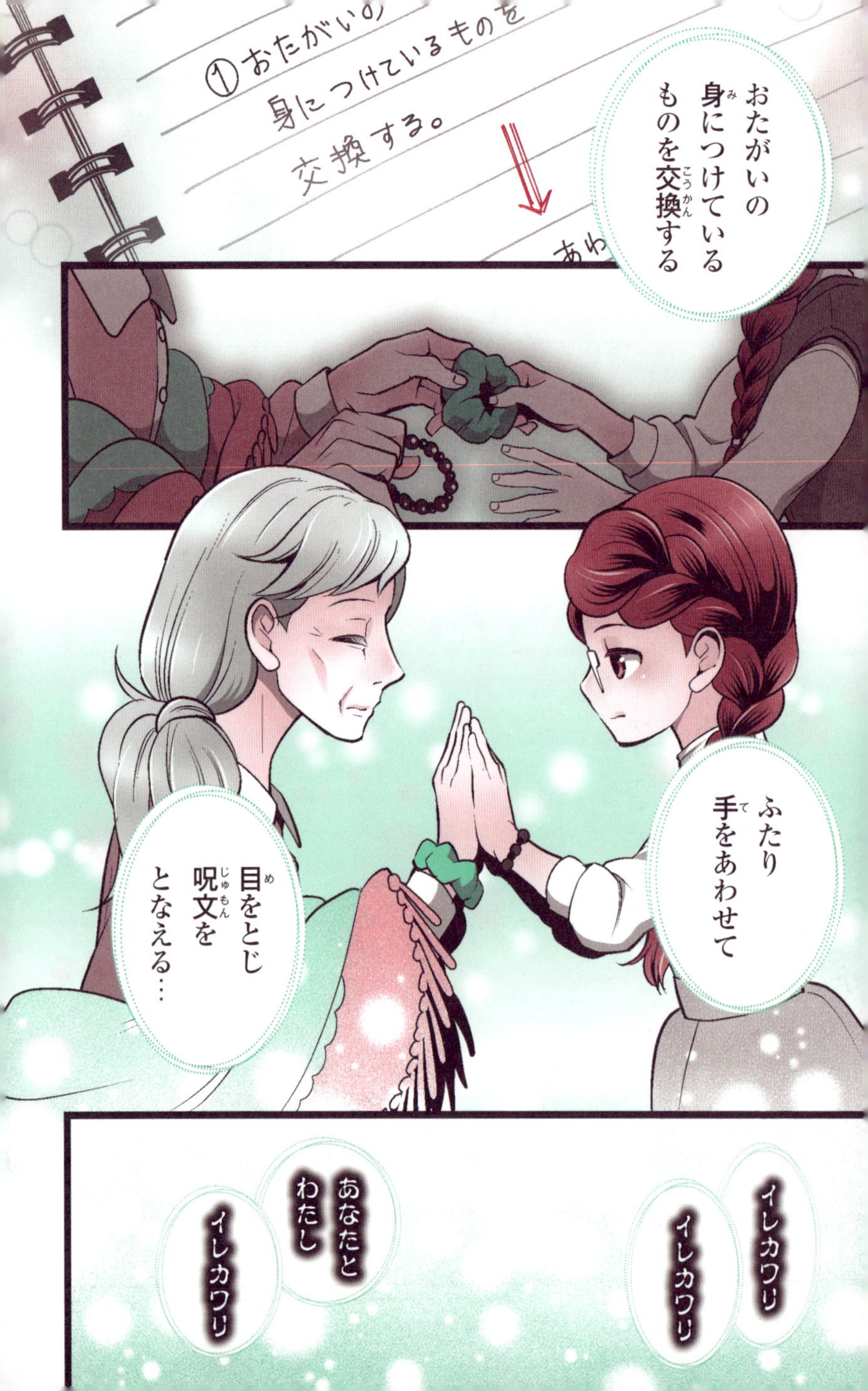
①おたがいの
身につけているものを
交換する。
おたがいの身につけているものを交換する
ふたり手をあわせて
目をとじ呪文をとなえる…
イレカワリ
イレカワリ
あなたとわたし
イレカワリ

……
わ…わたしが
目の前にいる…
わぁっ……!
イレカワリが
成功したんだねぇ
そんな…

!!
うわっ…
わたし
おばあちゃんだ…
これから
つぐみちゃんとして
過ごせるんだねぇ！
…あ…明日の
昼には…
か…帰って
きて…
あれ…
いつもみたいに
声がでない…

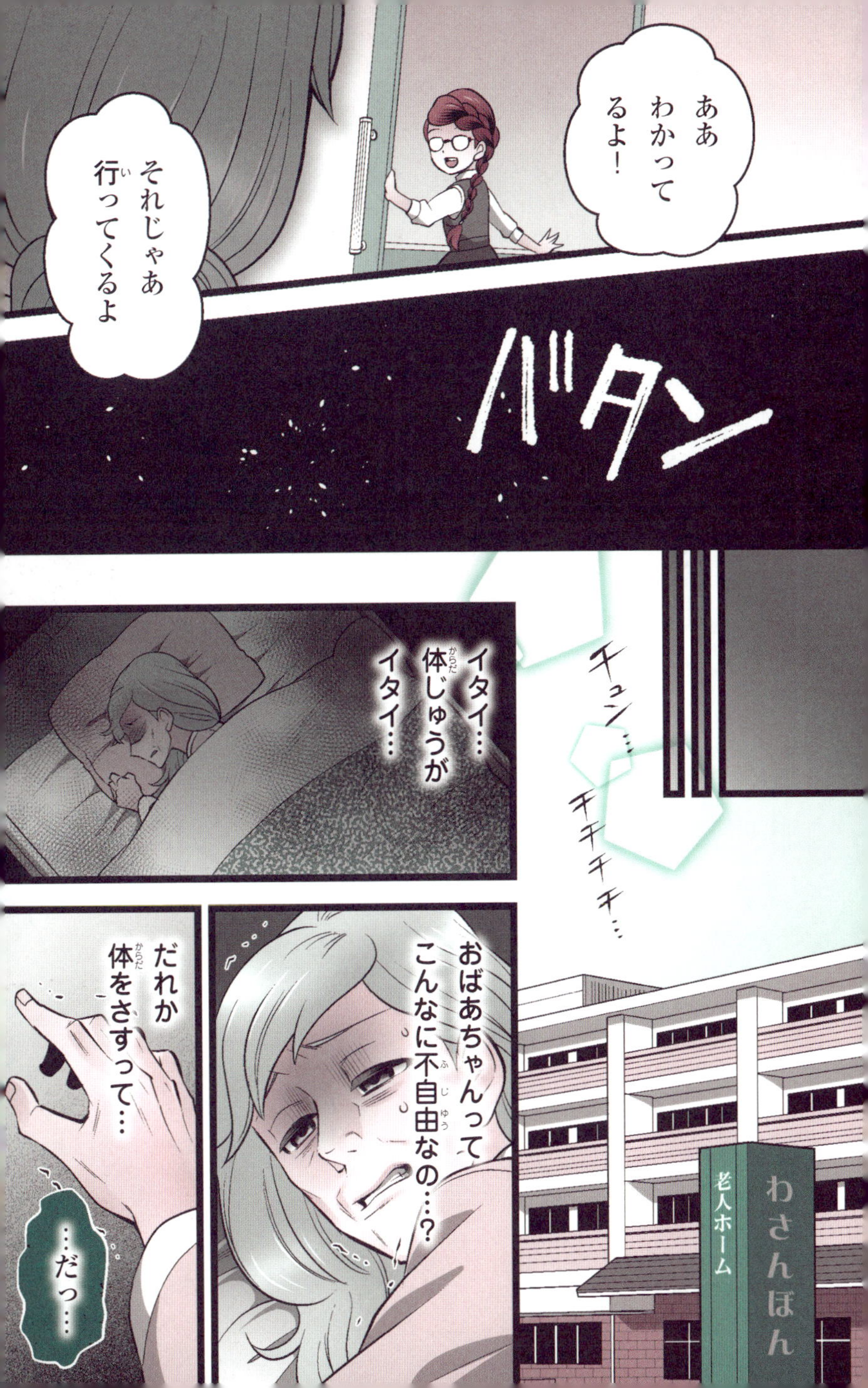

ああ
わかってるよ！
それじゃあ
行ってくるよ
バタン
チュン…
チチチチ…
イタイ…
体じゅうが
イタイ…
おばあちゃんって
こんなに不自由なの…？
だれか
体をさすって…
…だっ…
わさんぼん
老人ホーム

ダメ…大きな声がだせない…
98
99
100！
おや…もうこんな時間かい
そろそろホームに帰らないとねぇ…
…ん!?どこかにぶつけたっけねぇ…
……
もとにもどってもまた不自由な暮らしが続くだけ…

だったらいっそ
このまま――…
…101
102…
どうしよう…
4時までにもう一度おまじないをしないと入れ替わったまま
…もしかしておばあちゃん…
もう帰ってこないんじゃ…
わたしがおばあちゃんだったらもどりたくない…

あんなおまじないするんじゃなかった——…
ガラッ
つぐみちゃん遅くなってごめんよ!
ゼェ… ゼェ…

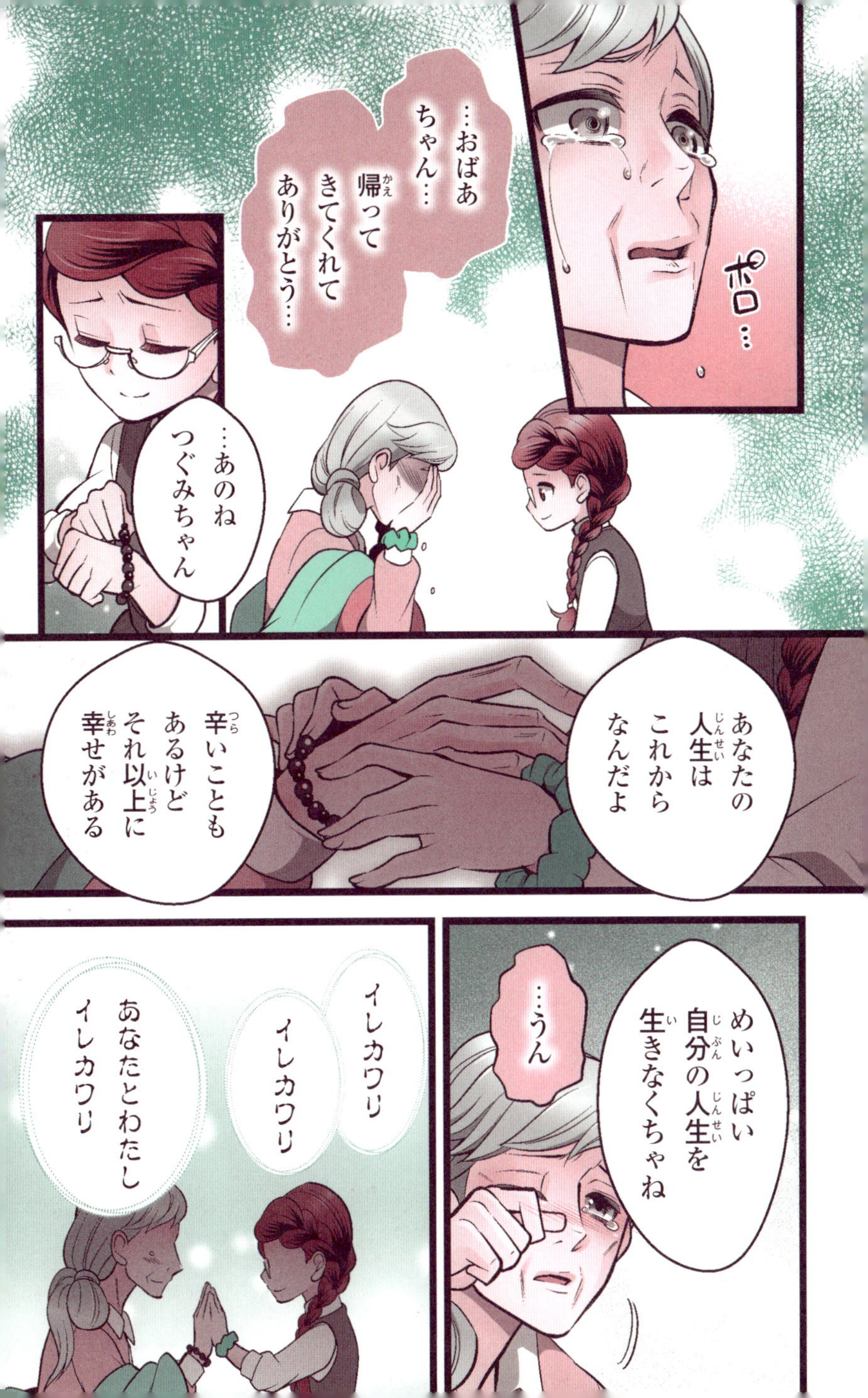
ポロ…
…おばあちゃん… 帰ってきてくれてありがとう…
…あのね つぐみちゃん
あなたの人生はこれからなんだよ
辛いこともあるけど それ以上に幸せがある
めいっぱい 自分の人生を生きなくちゃね
…うん
イレカワリ
イレカワリ
あなたとわたし イレカワリ

ガヤ
ガヤ
ガヤ
…ねえ 幸枝おばあちゃん
ん～？
昨日はわたしの体でなにして遊んだの？
ん～ なんのことだい？ おばあちゃんわからないよ
そっか…もう忘れちゃったか
おばあちゃん また来るね！
わさんほん
老人ホーム

美人は性格が悪い？
ゾクッ
恐怖レベル
ブレスレット
邪悪の印
16話

キャハハハハ
…とか言ってんの!
マジー?
!
ドーンッ
バラ
バラッ
ジャマ! 気をつけろ バーカ
アハハハ
あの… 大丈夫ですか?
あっ…あいつら〜!!
卓球部

あっ！待って!!
う～んあと少し…

おかげでぜんぶ見つかりました
それならよかった！
優美ホコリだらけじゃん！

平気だってこれくらいたたけば…
パンッ
パンッ

ケホッケホ!!

ほんとお人よしなんだから…

サワ
ザワ
1-A
ちょっと…
さっきのは
ないんじゃない

はぁ？
なにが…
おーい
姫佳たち
なにしてんの？
あっ
先パイ！
うざー

助けて！姫佳がイジメられてるの
きゃぱっ
はあ!?
姫佳が美人だからってひがむのはナシだよね

美人ってだけでチヤホヤして…男ってバカだ
なにアレ!!
……

池田先輩…
ジャムズ
JAMS
イベント開
カサ…
先週のイベント見たかったな…
はぁ
え？ジャムズ？
ジャムズのイベントおもしろかったね♪
スタッフさんに頼まれたときはビックリしたけど…

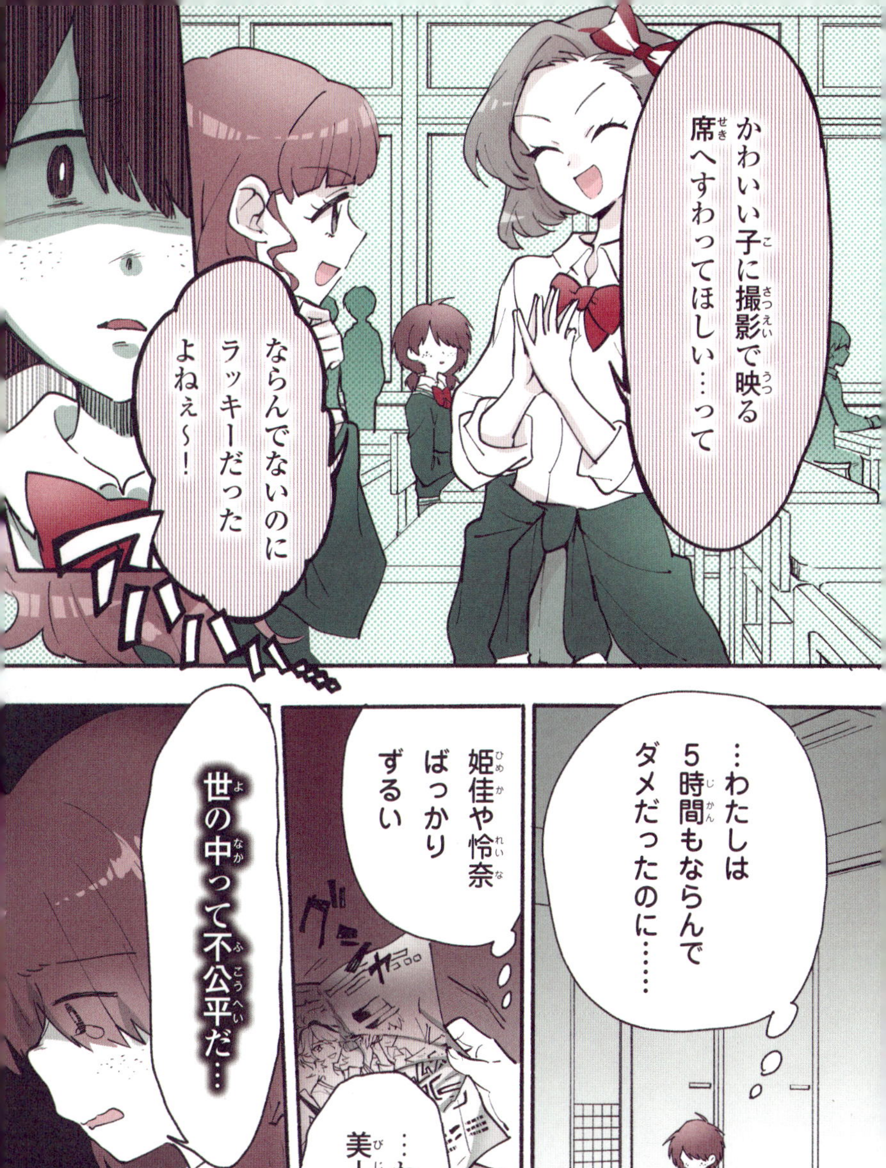
かわいい子に撮影で映る席へすわってほしい…って
ならんでないのにラッキーだったよねぇ～！
…わたしは5時間もならんでダメだったのに……
姫佳や怜奈ばっかりずるい
…わたしも美人になりたい
世の中って不公平だ…

うわ…キレイな人！
…でもうちの生徒じゃ…？
見た目の美しさって
そんなに重要？

え？

あなた…美人になりたいの？
…？

優しい心のほうが見た目なんかよりずっと魅力的なのに…

!
はっ
そんなの…

美人のほうがゼッタイ幸せです！
じゃあ…あなたの見た目を美しくしてあげる

でも
ひとつだけ
約束して
その優しい心を
なくさないでね
…それで美人に
なれるの…？
そう…
たったそれだけ
心の美しさと
同じだけ
キレイにするわね

ちなみにあなたが醜いと思うものはなにかしら？
醜いもの？
えっと…
…ヘビかな
目とか口が気持ち悪いから…
じゃあ目をとじて30数えて
1 2 3 4……
再会しないことをいのってるわ
ウソ…!!これがわたし!?

ガラ…
わたしがいきなり変わったこと…
みんな変に思うよね…？
ちょっと優美！
びくっ
どこ行ってたの？
早く先パイたちと帰ろ～

姫佳と怜奈に話しかけられた…
池田先パイがとなりに…
きんちょうするぅ
ドキッ
キャア
キャア
わ…わたし…前からずっとこのグループにいたみたいになってる
──3か月後
そんなに鏡ばっかり見て楽しい？

前髪がちょっと
気になっちゃって

優美って…
超美人だし
性格もいいし
完ペキだよね
はーー…
なにそれ?
ほめすぎだって

美人は24時間
鏡を見てても
楽しいのよ
先に行くねー
あ…春果には
わかんないか…

わたしは
美人で性格もいい
完ペキな女の子

…フフッ

にこっ！
わたしは
姫佳や
怜奈みたいに
バカじゃない
あたりまえじゃん!!
だれにでも
平等に笑顔を
ふりまいて
あげるの
──半年後
ザワ
ザワ
REST ROOM
LADY'S
そうすれば
ふつうの子たちに
ひがまれる
こともないもの
ごちゃ
ごちゃ
……

さっきの店員(てんいん)
マジないわ
ブスのくせに…

…おひさしぶり

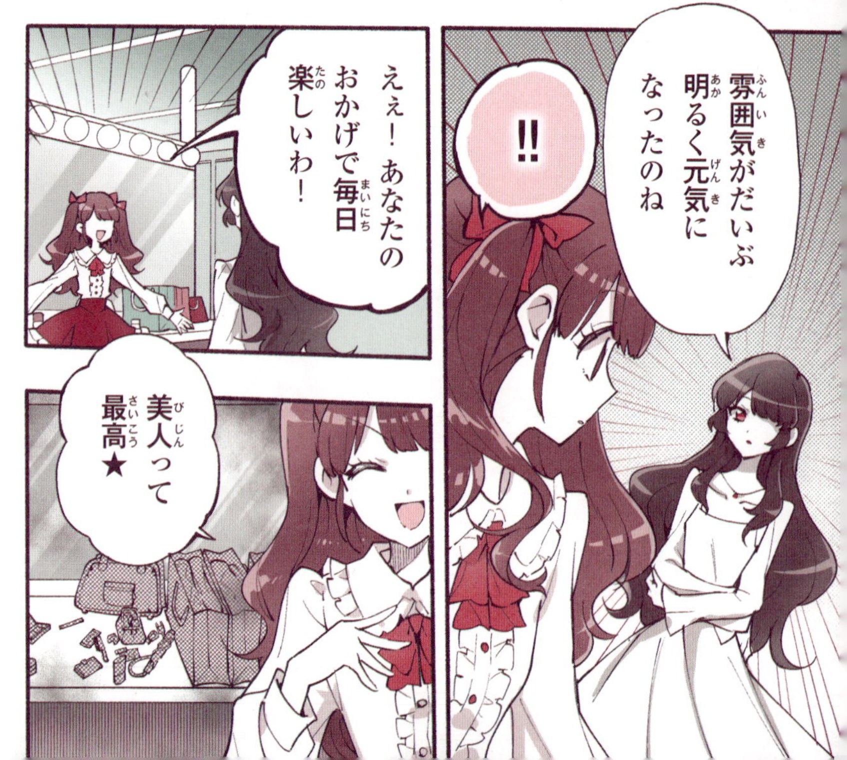
雰囲気(ふんいき)がだいぶ明(あか)るく元気(げんき)になったのね
!!
ええ！あなたのおかげで毎日(まいにち)楽(たの)しいわ！
美人(びじん)って最高(さいこう)★

残念だわ
ハァ…
え？
わたしとの約束…おぼえてる？
約束？
なにかしたっけ？

でも…約束は約束だから
パチン！
さようならもう会うことはないわね
ハァ？どういう…
!?

なっなによこれ…
わぁぁぁぁっ
…やっぱり人間って
おもしろいくらいダメね

帰って
報告しなきゃ

…ぐすっ
うぅ…っ
なんで…
こんなことに
ブル
ブル

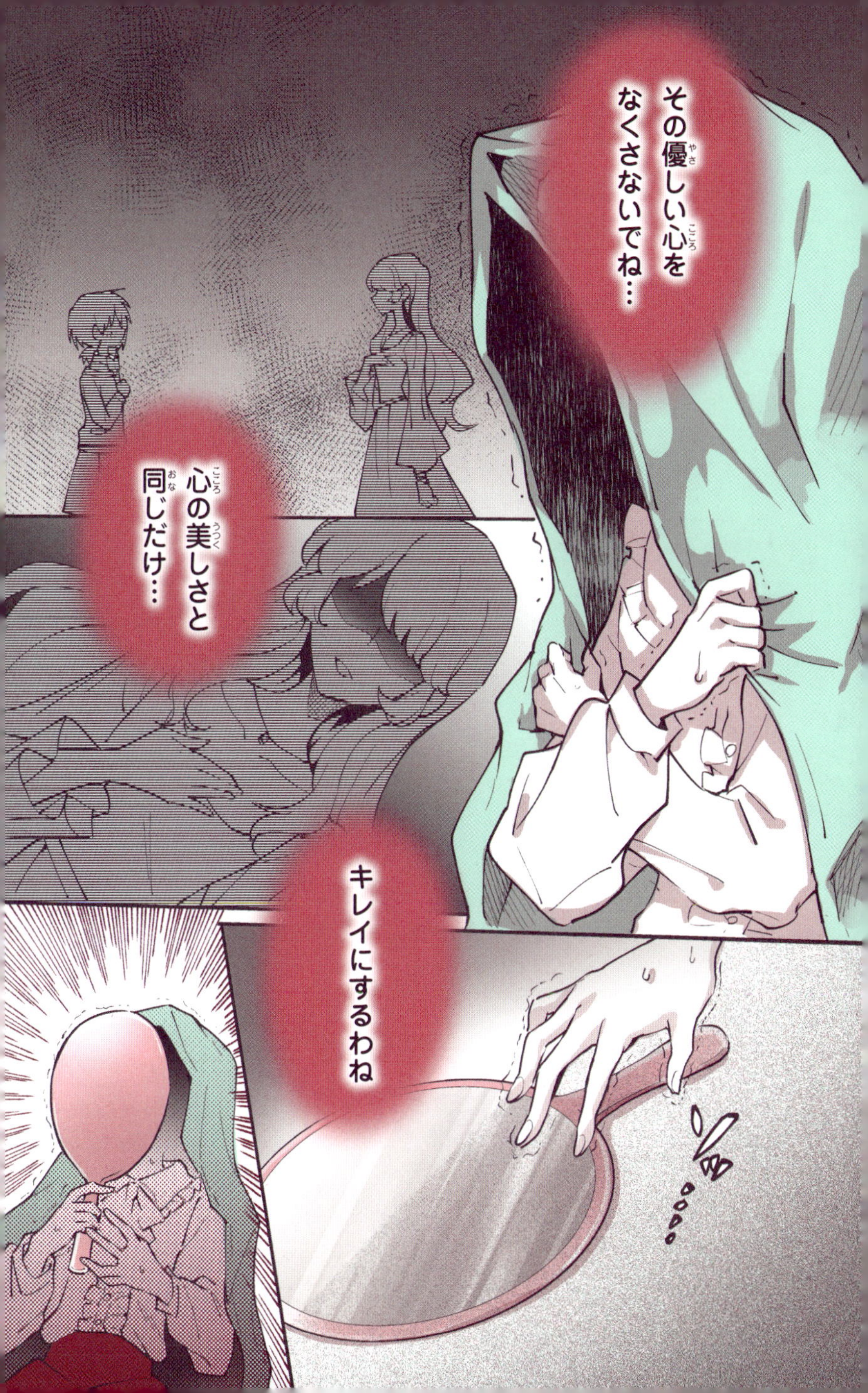
その優しい心を
なくさないでね…
心の美しさと
同じだけ…
キレイにするわね

いやああああああ!!っ
優美ちゃん最近暗いよね
いつもなぜかマスクだし…
美人な顔かくすなんてもったいないな～い
わたしの顔と変えてほしいくらいだよ～

みんなのおたより紹介ページ
あなたのまわりの
怖いストーリー

みなさんから届くおたよりが、最近さらに増えているのですがこれはやはり、人間界の異変と関係があるのでしょうか…。心配はつきませんが、本日はどんなお話を紹介しましょう。

今回のおたより紹介

キョウフ体験談 ➡ 4通 P258～

ホラー小説 ➡ 2通 P262～

あなたのおたよりもお待ちしております……
くわしくは319ページへ

本当にあった出来事をつづった…

キョウフ体験談

おたより その1 かくれんぼ

滋賀県　NANAさん

——5年生のある日。わたしはKちゃんと高架下でかくれんぼをしました。ずっと遠くにかくれるKちゃんを見つけたので、自転車でむかうと、ついさっきまでいた彼女は消えていたのです。

不思議な気持ちのままもどると、なぜかKちゃんがいました。

「ずいぶん、遠くまで探しに行ってたんだね！」

「Kちゃん…。あっちの奥にかくれてなかった？」「行ってないよ」

怖くなったわたしは、すぐにここをはなれようと提案しました。

Kちゃんが競争しようよといきなり走りだしたので、わたしは彼女のあとを追いかけます。すると、うしろから声がしました。

「…わたしが……見えるの？」

おそるおそるふり返ると、さっきまでいなかった髪の長い女性が、こちらを見てニヤリと笑ったのです。

この日から、わたしにはときどき霊が見えることがあるのです。

おたより
その2

グレーのなにか…

群馬県　♡クルミ♡さん

ある夏の夜。12時ごろふと目をさますと、窓の外ではカミナリが鳴り、雨が降っていました。**ゴロゴロゴロッ！**　大きな稲光が見えた瞬間、あたりはまっ暗に。どうやら停電したようです。

わたしは重い空気とおかしな気配を感じましたが、あたりを見まわしてもだれもいません。怖くなったわたしはママを起こしに行きましたが、なぜだかママはまったく起きてくれないのです。

するとそのうち、暗闇の奥からうめき声のような音が…。

「ウウッ……　ウウッ……　ウウッ……　ウウッ……」

目をこらして声が聞こえたほうを見つめると、そこには人の形をした、グレーの物体が立っていたのです！

「た…す」　それがしゃべろうとしたとき、また稲光が走り、電気がパッとつきました。明るくなった部屋を見わたしましたが、もうなにもいませんでした。

得体の知れないそれはそれきり見ていませんが、あの夜の後、横断歩道で車にひかれそうになるなど、少しの間不運が続いたのです。

あれはなんだったのか、いま思いだしてもよくわかりません。

おたより その3

子どもを探す母親

住所不明　C.Nさん

これは霊感をもつわたしが5年生のときに体験した話です。

自然教室でK県S市に宿泊した夜。わたしは夜中にトイレへ行きたくなって、目をさましました。そのとき、ろう下から女の人の声が聞こえたのです。おそるおそるのぞくと、白い服を着た髪の長い女の霊が立っていました。霊と目があったわたしは、いそいで逃げました。しかし女の霊はものすごい速さで追いかけてきて、あっという間に、追いつかれてしまったのです。

「待っ…て。娘……を……探して……ほ…しいの。見つけて…くれ…たら……呪…わな……いであげる」

わたしは呪われたくなかったのでうなずき、その霊の娘を探しまわりました。ある部屋の近くで3歳くらいの女の子を見つけたとき、なぜかこの子がきっと娘なんだろうと強く感じたのです。

女の子をつれて、さっきのろう下までもどった瞬間、女の霊があらわれ、その子をぎゅっと抱きしめました。

「ありがとう」とハッキリした声が耳元で聞こえた瞬間、その親子は消えていました。霊は怖いだけじゃないんだと温かい気持ちになりました。

おたより その4

ファラオのノロイ

埼玉県 りいちゃんさん

わたしは4年生の夏ごろ、ツタンカーメン（ファラオ※古代エジプトの王のひとり）にハマっていました。夢中になってはあき、また少しして夢中になってはあきる。そんなことをくり返していたのですが、あるときからおかしな出来事が起こり始めました。

月・木曜日は5時間目、火・水・金曜日は6時間目と、1日の最後の授業中に、必ずお腹が痛くなるのです。

こんなことはいままで一度もありませんでした。そしてなぜか授業が終わると、痛みはウソのように消えてしまいます。

「これってきっと、ただごとじゃないよね……」

どうしようもなく怖くなったとき、わたしは気づいたのです！

わたしは以前ゲーム機でツタンカーメンの写真を撮り、写真にラクガキをしました。そのうえ、ツタンカーメンの絵をバカにする友だちにつられ、調子にのって大笑いしたこともありました。

きっとこんなことを続けていたため、わたしはファラオにノロイをかけられてしまったのだと思います。

ファラオのノロイは強力なんだそうです。また最後の授業中に腹痛におそわれないか心配でなりません。

あの子が考えて書いた…

ホラー小説

いっしょに行こう…

埼玉県　よぞらツキミさん

わたしはずっと入院をしていました。

いつも母がお見舞いに来てくれるのですが、わたしは病院がイヤでした。病院が好きな人はいないかもしれませんが、ずっと入院しているわたしは、病院が大嫌いになっていました。

ううぅ…　ううぅ…　ううぅ…　ううぅ…

ある夜、ベッドで寝ていると、どこからか女の人の声らしき音が聞こえてきました。わたしは怖くなってあたりを見まわしましたが、病室にはもちろんだれもいません。

「きっと…気のせいだよね。大丈夫！　大丈夫！」

わたしはそのままぎゅっと目をとじました。

目をとじてはいるものの、それからはなぜかずっと眠れずにいました。いったい何分くらいたったでしょうか？

カチ　カチ　カチ　カチ。時計の針の音がひびいています。

「………ん？　あれ？　なんだろう…この感覚………」

ベッドの上で寝ているはずの自分が、まるでどこかにむかって動いているような感じがしました。

怖くなって目を開けようとしても、まったく開かないのです！

「――― ………………う～ん。………………う～ん」

目に力をいれ続け、ようやくバッと開いたとき、わたしはなぜか病室の鏡の前に立っていました。

「………どうして？　……なにが起こってるの？　早くベッドへ」

とまどいと心臓のドキドキをおさえられないまま、鏡に背をむけた瞬間、なにかにグッと手首をつかまれたのです。

「きゃあああああああああああああああああ」

ふり返ると、そこには不気味な笑いをうかべた女の人が。わたしの手をつかんでいたのは、その女の人でした。

その人はふつうではありません。ダラダラと血を流しています。

「ねぇ…いっしょに行こう。
ねぇ、いっしょに行こうよ！」

つかんだ手首をぐんぐんとふりながら、笑顔でさそってくるのです。

「いや……やめて…」

逃げるために手をふりほどこうとしましたが、まったく体が動きません。

わたしはそのまま、鏡のなかへと引きずりこまれていきました……。

寿命がわかる薬

熊本県　フルーツパフェさん

わたし・A美は、怖いものが大好きな女の子です。怖い本であふれ返った部屋にいることがとても幸せでした。

ある日、商店街を歩いていると、変な看板が目につきました。

――魔女の店　本物あります――

うれしくなって入った店内には、ノロイの本や羽根がはえる薬などが置いてありました。わたしは近くにいた店員さんにたずねます。

「この商品はぜんぶ本物なんですか?」

「……はい。とくにこれがおすすめですね。100円です」

店員さんはそう言って青色のビンをさしだします。わたしはそれがなにかも聞かずに、100円でそのビンを買って帰りました。

青いビンのなかには、1枚の説明書と白い粉が入っていました。

――ビンのなかの粉を飲みものにまぜて飲むと、人の寿命がわかるようになります。ただし、このことを人に話してはいけません。効果がなくなってしまいます。――

わたしはさっそく麦茶にまぜて飲んでみました。とくに変わった様子はありません。そのとき、ご飯ができたという母の声がしたので、リビングへむかいました。

「…ちょっとみんな!　その頭の上にある数字ってなに?(笑)」

母と妹と父の頭の上に、ナゾの数字がうかんでいるのです。

「頭の上の数字？　なんのこと？　そんな数字どこにもないわよ」

「ハハハハハ…！　お姉ちゃんなに言ってんの～？」

「バカなこと言ってないで、さっさとイスにすわりなさい」

どうやらみんなには頭の上の数字が見えていないようでした。

「……ごめんなさい。今日はなんだか食欲がなくて……」

すぐさま自分の部屋へともどり、青いビンを見ました。ビンのラベルには、かすれた文字で『寿命がわかる薬』と書かれていました。

「さっきの数字は寿命ってこと？　本当に寿命が見えたんだ…」

怖いものが好きなわたしも、このリアルな出来事にはさすがに恐怖を感じ、ふとんをかぶってぎゅっと目をとじました。

つぎの日。学校や街中で、わたしはたくさんの人の寿命を目にしました。そしてこんなウワサを耳にしました。

――― 寿命がわかる薬を飲んだ人は、鏡を見れば自分の寿命がわかる。そして寿命の終わりがくると、死神が迎えにくる。―――

わたしは自分の寿命を知るのが怖かったので、鏡を見ないようにして過ごしました。しかしそれはとても難しいことで、ふとした瞬間に鏡を見てしまったのです。

自分の頭の上には、『12』の数字がうかんでいました。

「……12!?　わたし3日後の誕生日で、12歳になるのに……」

鼓動が速くなり、歯がガチガチと音をたてます。わたしは恐怖のあまり、ご飯とトイレのとき以外は、ずっとベッドのなかでふるえて過ごしました。………そして、誕生日の日がきたのです。

わたしはおそるおそるベッドから出ました。その瞬間、体がすけた髪の長い女の人が、わたしの上にのしかかってきたのです。

「きゃあああああああああ！
や…やめ…………て！」

助けを呼ぼうと大声で叫んだとき、首のあたりにするどい痛みが走ります。血が流れ、わたしの意識はうすれていきました。

「た…………す………け…て」

わたしは女の人にかかえられ、空のかなたへのぼっていきました。

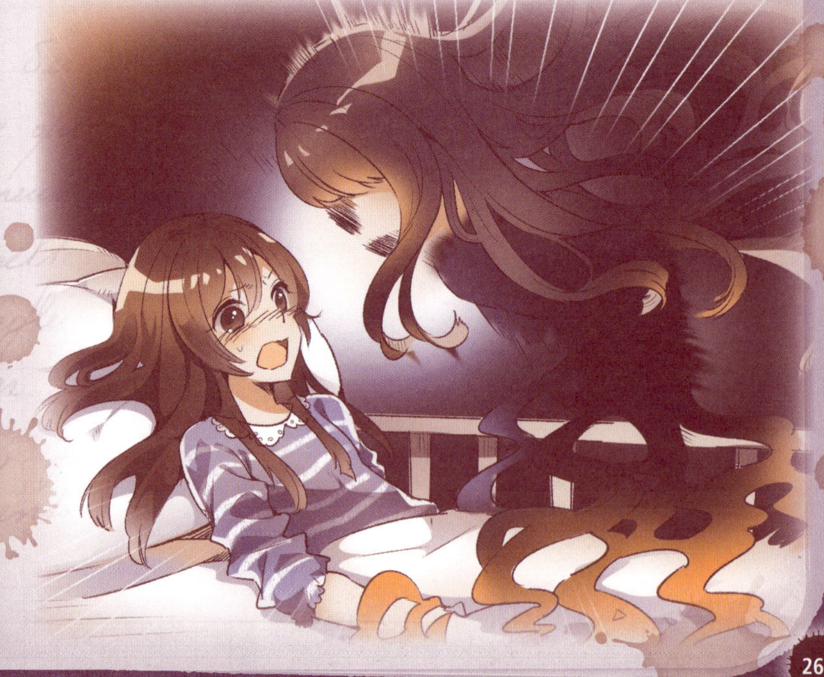

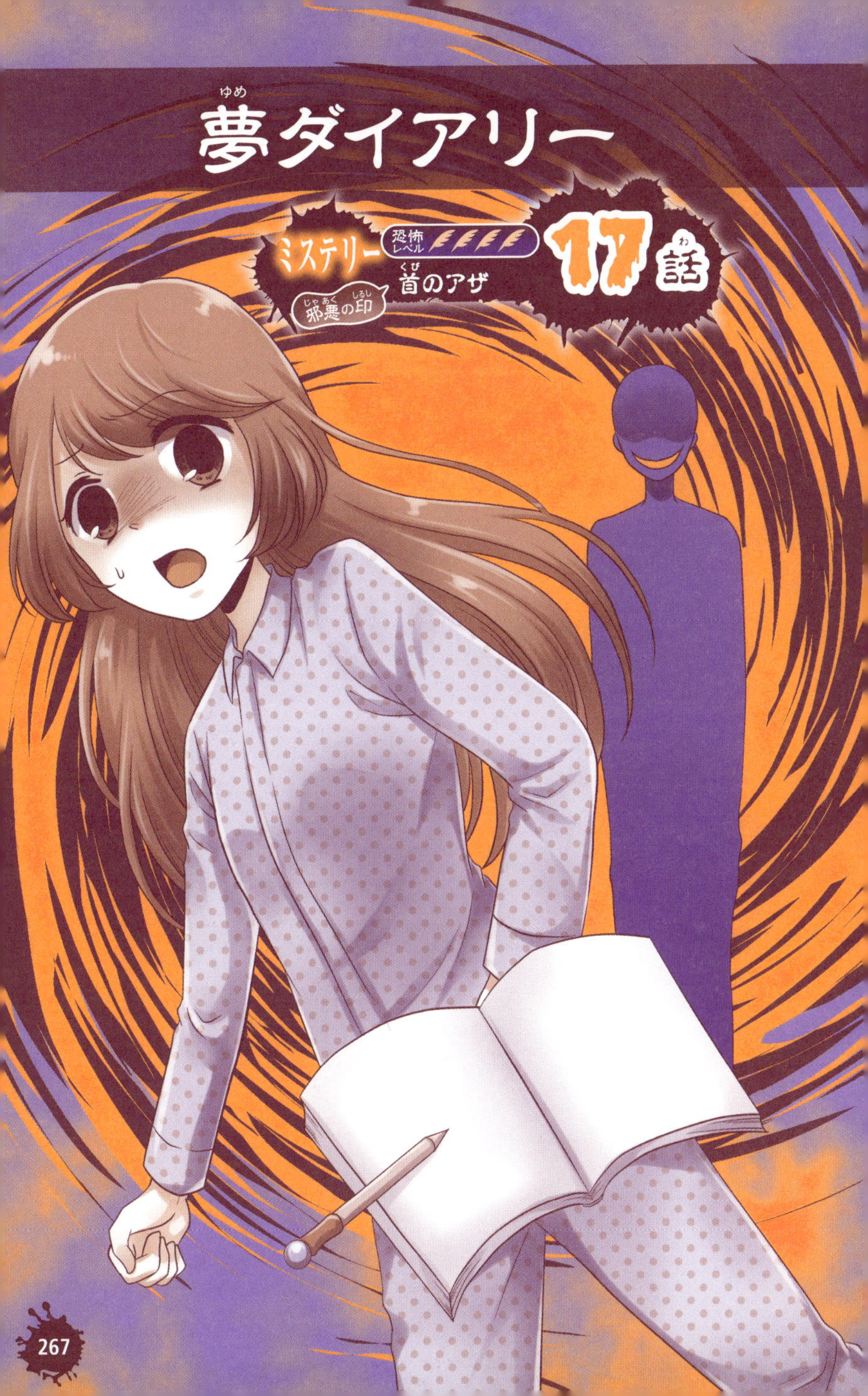
夢ダイアリー
ミステリー
恐怖レベル
首のアザ
邪悪の印
17話

ねぇねぇ紗里と陽菜は昨日どんな夢見たぁ？
なに～占い？
わたしは人前で歌う夢！
人前で歌う…ね…
恋愛運アップのサインだって!!
占い
みーちゃんほかには？
やぁ～うれしいっ
やったじゃーん
ネコの夢は恋のライバルがあらわれる暗示とか
鳥みたいに空を飛ぶ夢は運気上昇中の暗示とかね…

へえ～
見た夢でいろいろわかるんだねぇ
紗里の見た夢も教えて？
夢か…う～ん
最近なにか見たっけな～？
え～おぼえてないの？
つまんな～い
つまんないっていわれても～
あはは

だったら『夢ダイアリー』をつけてみなよ!
なにそれ?
みんな夢は毎晩見てるの…忘れちゃってるだけらしいよ
だから起きてすぐに見た夢を日記に書くの
後から見るとこんな夢見てたの?ってなるみたい!
おぉ~
へぇ~
おもしろそうだね
ガタッ

溝口(みぞぐち)くーん
キャッチボールしようぜ
キャッチボール？
キャッチしなかったらキックだからな
あは…
ニヤ
おらおら〜
ゲラゲラ
ゲラゲラ
フイッ…
スッ…
………

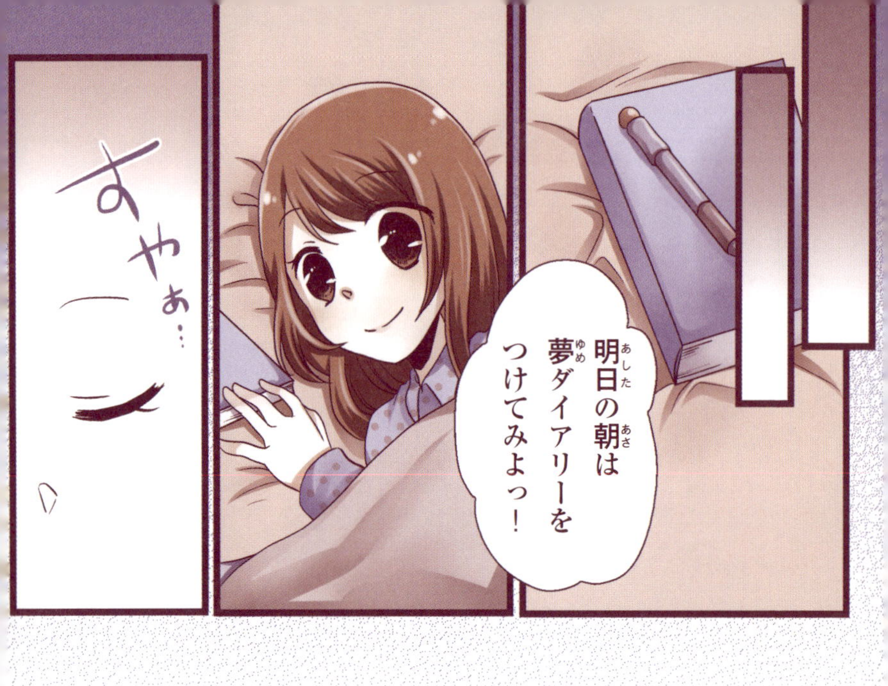
明日の朝は夢ダイアリーをつけてみよっ！
すやぁ…

ピリリリ..
ふあ～
そうだ…

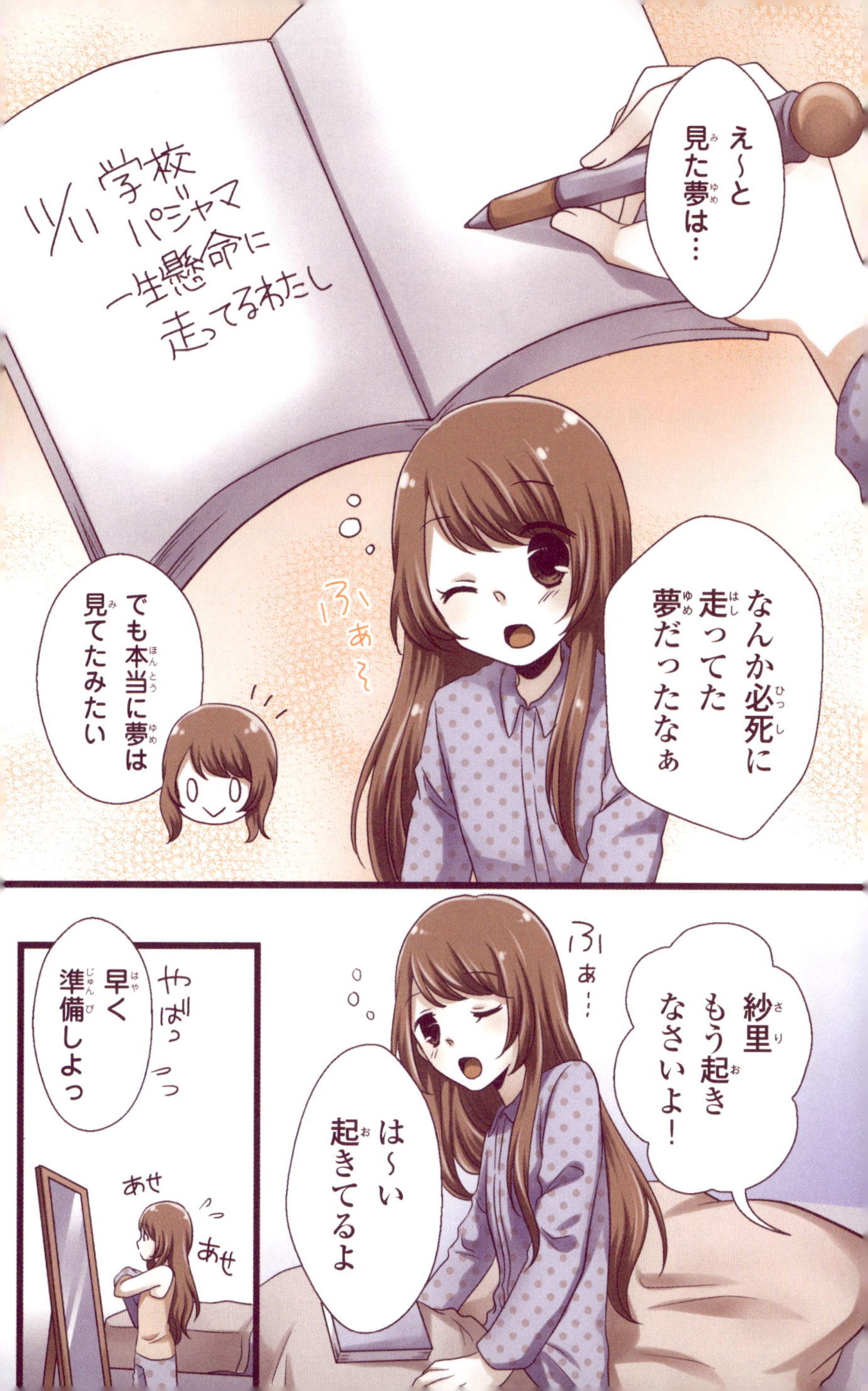
え～と見た夢は…
11/11 学校 パジャマ 一生懸命に走ってるわたし
なんか必死に走ってた夢だったなぁ
ふぁ～
でも本当に夢は見てたみたい
紗里もう起きなさいよ！
ふぁ…
は～い起きてるよ
やばっ
早く準備しよっ
あせ
あせ

アハハ
おいっ溝口
もっと早く歩けって！
ハハ
アハハ
ム…ムリだよ
けっこう重くてさ
あのさ…
溝口くんのこと
なんとか
できないかな
ほっとく
しかないよ…
ぼそり…

え!?
仙田たちを注意して
今度は紗里がイジメられたらどうする？
…そ…それは…

わたし前の学校でそうだったから…
イジメを注意したら転校するまでずっとイジメられた…
……………

11／11
学校　パジャマ
一生懸命に走ってるわたし。

11／12
夜の学校。
必死に走るが、のまれて
ゲームオーバー。

11／13
トイレにかくれるが、
今日ものまれてしまった。
あれはいったいなに？
どうしてわたしを
追いかけてくるの？

11／14
学校のなかをずっと走って逃げている。
怖い。怖い。助けて。助けて。
クラスのみんなを見つけるが、
声をかけても見てくれない。
またのまれてしまった。

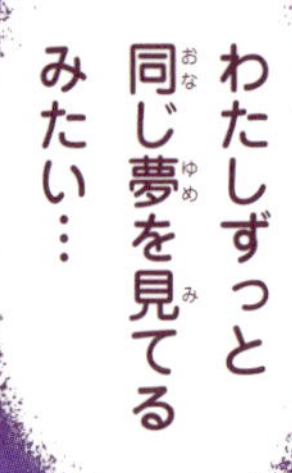

わたしずっと同じ夢を見てるみたい…
いったいなんの夢を見てるの？

ガヤ
ガヤ
本を落としたら罰だぞ
ニヤニヤ
プル
プル
ケラケラ
も…もう限界だよ
ぐら〜

カラ…

ゲラゲラ
プル
プル…
ケラケラ
河村さんに手伝ってもらえば?

スッ…
カタ…
溝口くんの悲しそうな目…
ズキ…
わ…わたし今朝こんなに書いたっけ？
こ…細かく夢の内容が書かれてる…
な…なにこの夢…

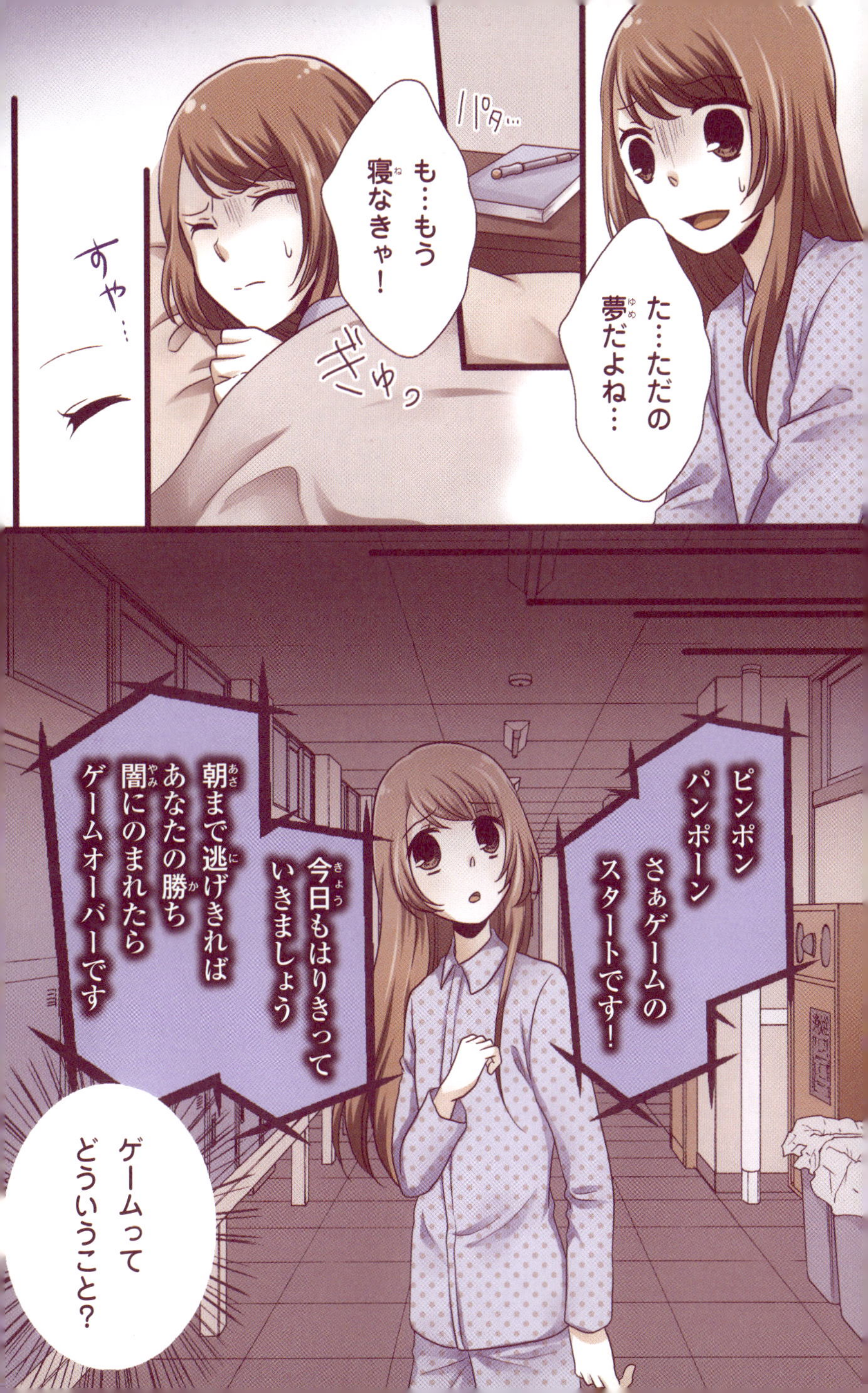
た…ただの夢だよね…
パタ…
も…もう寝なきゃ！
ぎゅっ
すや…
ピンポンパンポーン
さぁゲームのスタートです！
今日もはりきっていきましょう
朝まで逃げきればあなたの勝ち
闇にのまれたらゲームオーバーです
ゲームってどういうこと？

ゴオォ
オオォォ
!!
なにあれ!?
―あれは
仙田くんたち!!
…なんだか様子が…
おかしいみたい

うう～
あ…
うあああああ
ゴキャ
うおおぉぉぉああああぁ
ワキャ
メキャ
助けて!!
ズリッ

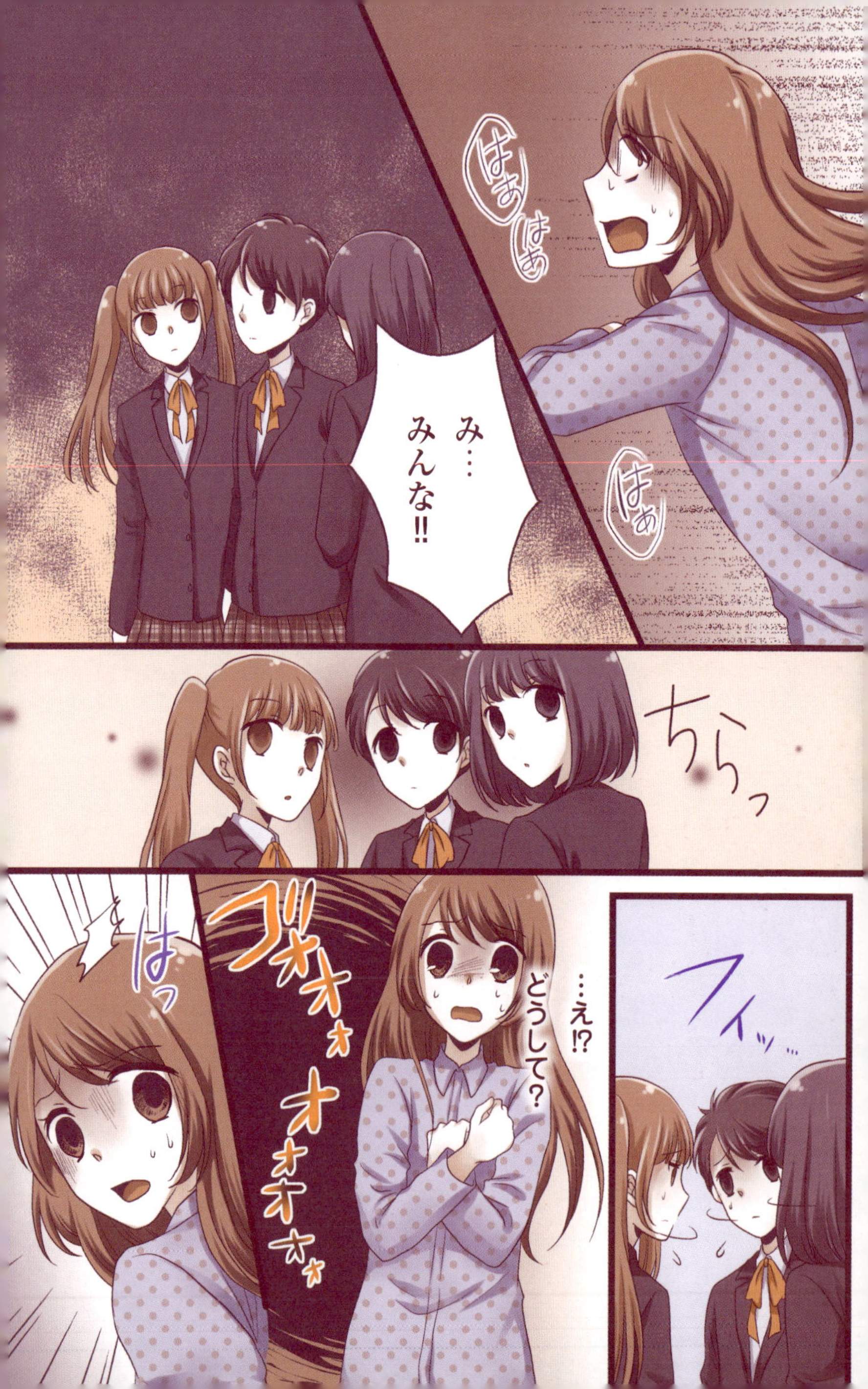
はぁ
はぁ
はぁ
み…
みんな!!
ちらっ
フイッ…
…え!?
どうして?
ゴオォォオォオォォ
はっ

タッ
ガラッ
陽菜…みーちゃん！
助けて！
フイ…
なんでみんな見て見ぬふりするの？
すっ…

あっ！溝口くんっ!!
……河村さんどうしたの？
おっきな穴が追ってくるの…
ゆさ
ずっと追ってくる
た…助けて！
ゆさ
それにだれも助けてくれないのっ…！
毎日のぼくがそうなんだよ…

…え? なに?
仙田たちは毎日毎日くり返しぼくをイジメる
あいつらにとってはきっとゲームで意味なんかないんだ
クラスメイトもみんな…ぼくを見て見ぬふりする
そう…この夢は
ぼくの毎日そのものさ!

ぼくの気持ちをわかってほしかった
ぐっ
だれかに気づいてほしかった
ごめんなさい溝口くん
ぽろ…
わたし勇気がなくて
河村さん…もう遅いんだ
ざわっ…
……えっ…

アァ…
アハアハハ
アハハハ
嫌いな相手に
見せたい夢を
見せられる
ケラ
ケラケラケラケラ
ケラケラ
そんな方法を
悪魔から
教わってね…
ズリィィッ
ひっ…
アァー
だからぼくは
クラス全員に
ためしたんだ
これってなにか
悪いことかな？
ケラケラ
ぱっ
ケラケラ
ほらっ
早く逃げて！
穴はすぐ
そこまで
きてるよ
ケラケラ
ケラ

ズゾーズズ
ひっ
ガタッ
タッ
やっ…
ズリズズズ
いやあぁあぁ
ズリズリ
ズリズズズ
べちゃ
ぎぁあああああ
ゴキ…
ぎゃあぁぁ
グギャ
この夢はいつまで続くんだろう
わたしたちが変わらない限り…きっとずっと…
河村紗里さんゲームオーバーですまた明日…

NEW!!
NEW!
ゾクッ
恐怖レベル
邪悪の印
配送の人
18話
モデル体型スムージー
ねえねえ 香帆!
NEW

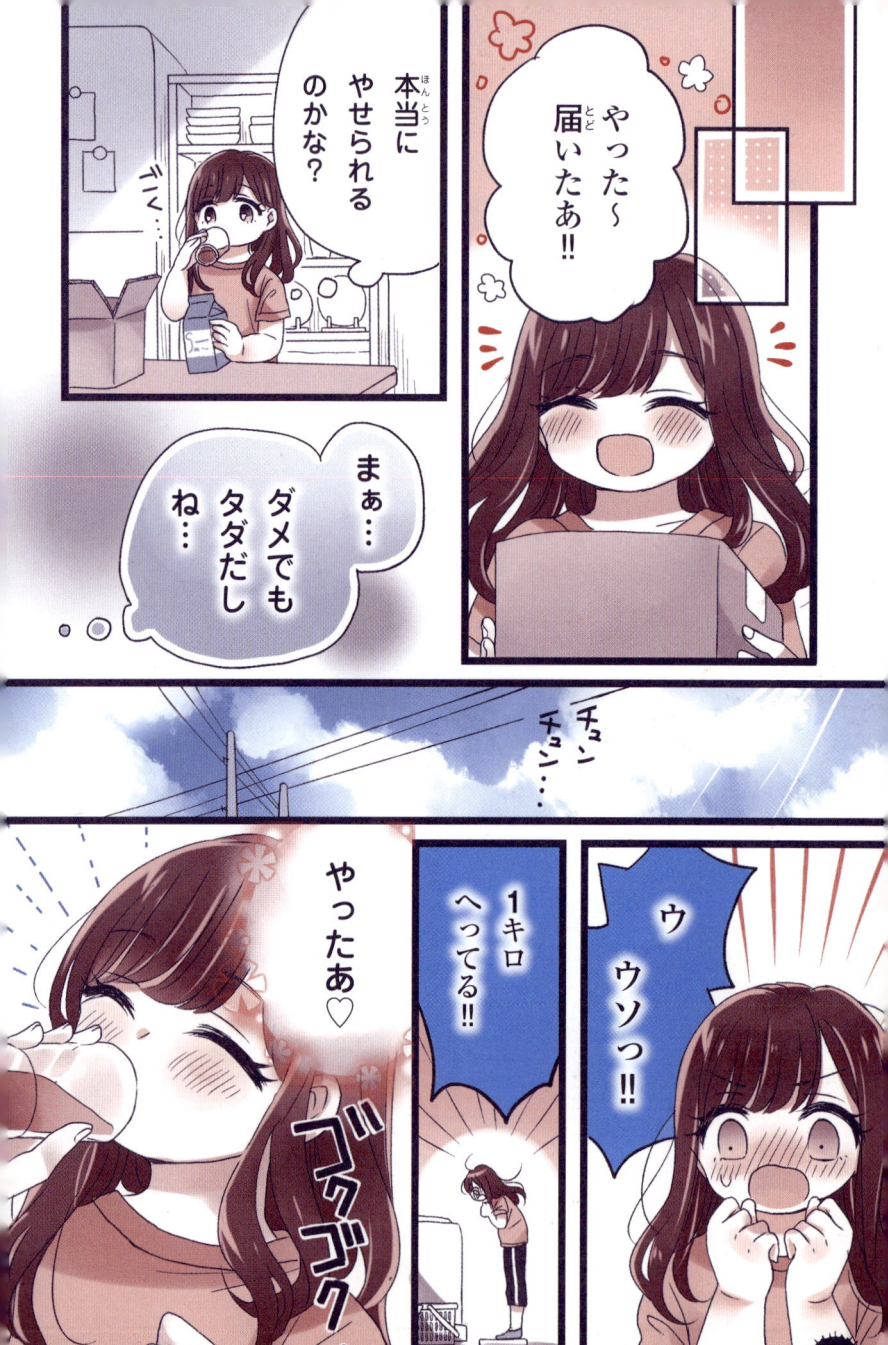

来月のBBQ 京本くんも 参加だって!
急接近の チャンス!
女子アピール ならやっぱり
SSKCの 服かな!?
ぱあっ
望美 ホント!?
じゃあわたし も行く!
SS♥KC

わあっ
すっごくかわいい!!
試着してくるね！
えっ？
キツっ
ウソ…
あがらない…
ギチッ…
細い子にしか着られない服なんだ…

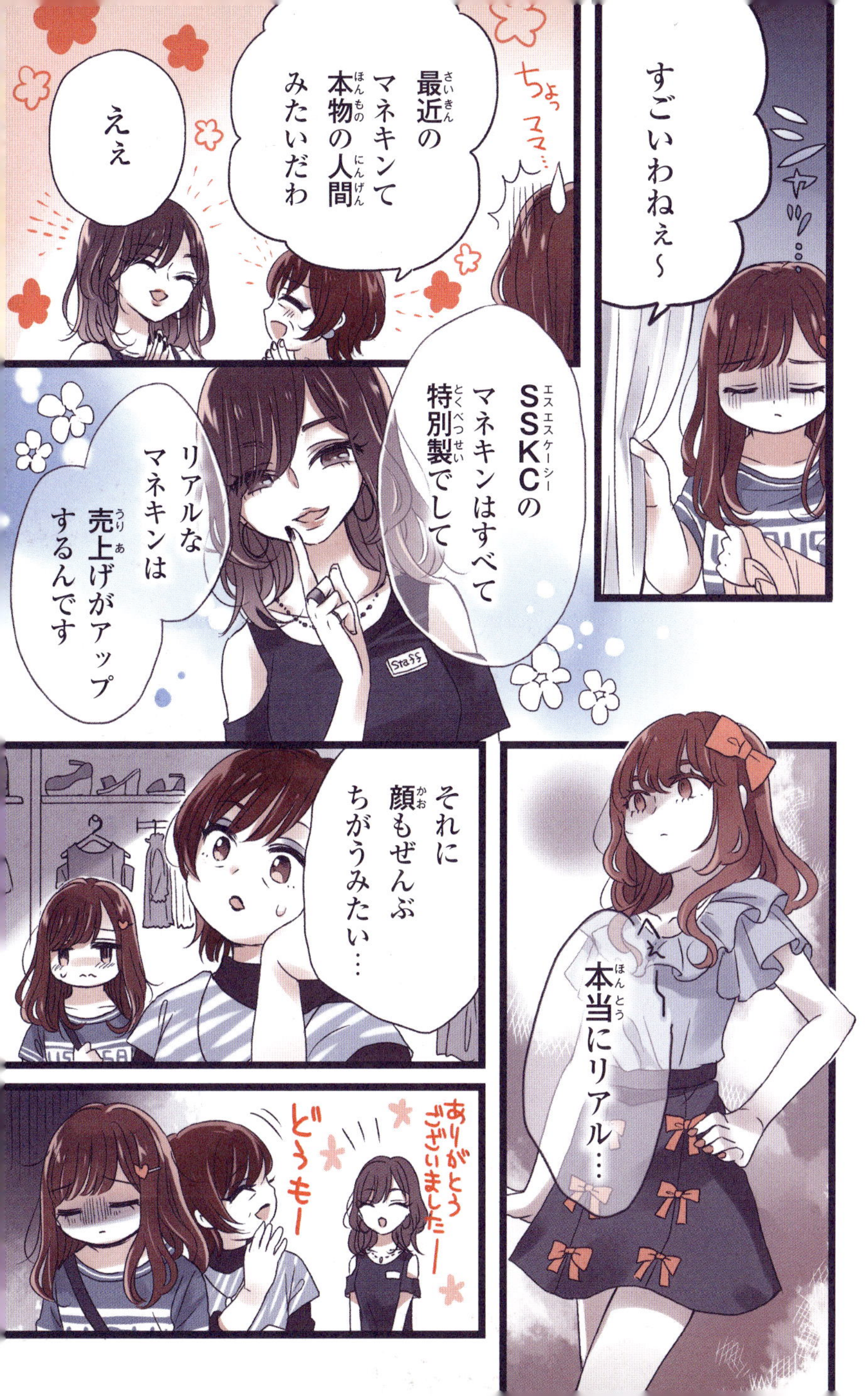
すごいわねえ～
ヤッ…
ちょっママ…
最近のマネキンて本物の人間みたいだわ
ええ
SSKCのマネキンはすべて特別製でして
リアルなマネキンは売上げがアップするんです
へえ～
本当にリアル…
それに顔もぜんぶちがうみたい…
ありがとうございました――
どうもー

よしっ!!

夏休み中にゼッタイやせるぞ!!

ゼーゼー
プルプル…

ソッ…

ウソ…ぜんぜんへってない…
ズーン
ぐううう…

あぁやっぱムリー
パク
パク

ラクしてやせる方法じゃないとね

すぐやせ!! スムージー
ダイエットモニター募集中!!
0円
運動はしなくてOK
好きなだけ食べてOK
好きなだけ食べてやせられるなんて最高!!
それにダイエットモニターならタダっていうし!
ぱあああああ
よしっ!
申しこみ…っと
カチ

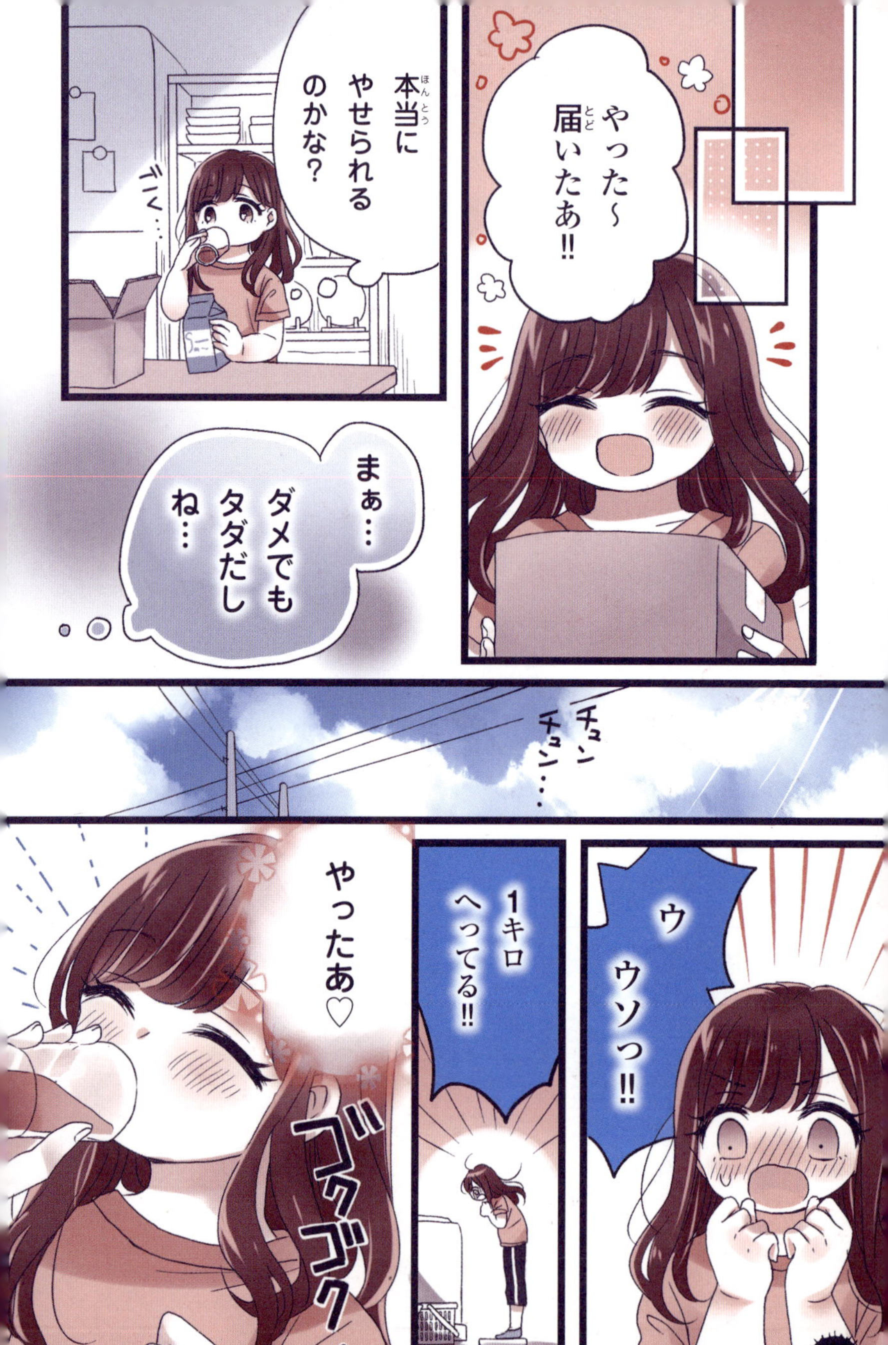
やった～
届いたあ!!
本当に
やせられる
のかな?
まぁ…
ダメでも
タダだし
ね…
チュン
チュン…
ウ
ウソっ!!
1キロ
へってる!!
やったあ♡
ゴクゴク…

望美
おっはよぉ♪
香帆!!
や…やせたねぇ!!
望美より細くなったでしょ!
えへへ～
運動もガマンもムリだったのに…
ホントよくがんばったね!!
ファン…
でも…あと5キロやせよっかなぁ
5キロ?やせすぎじゃ…

京本くんがやせたねだって！
ビックリしたよ〜
キャ〜ッ
ラクしてやせられるんだから
もっともっとやせなきゃ！
二の腕がまだ太いかも…

すぐやせスムージーの会社からメールだ！

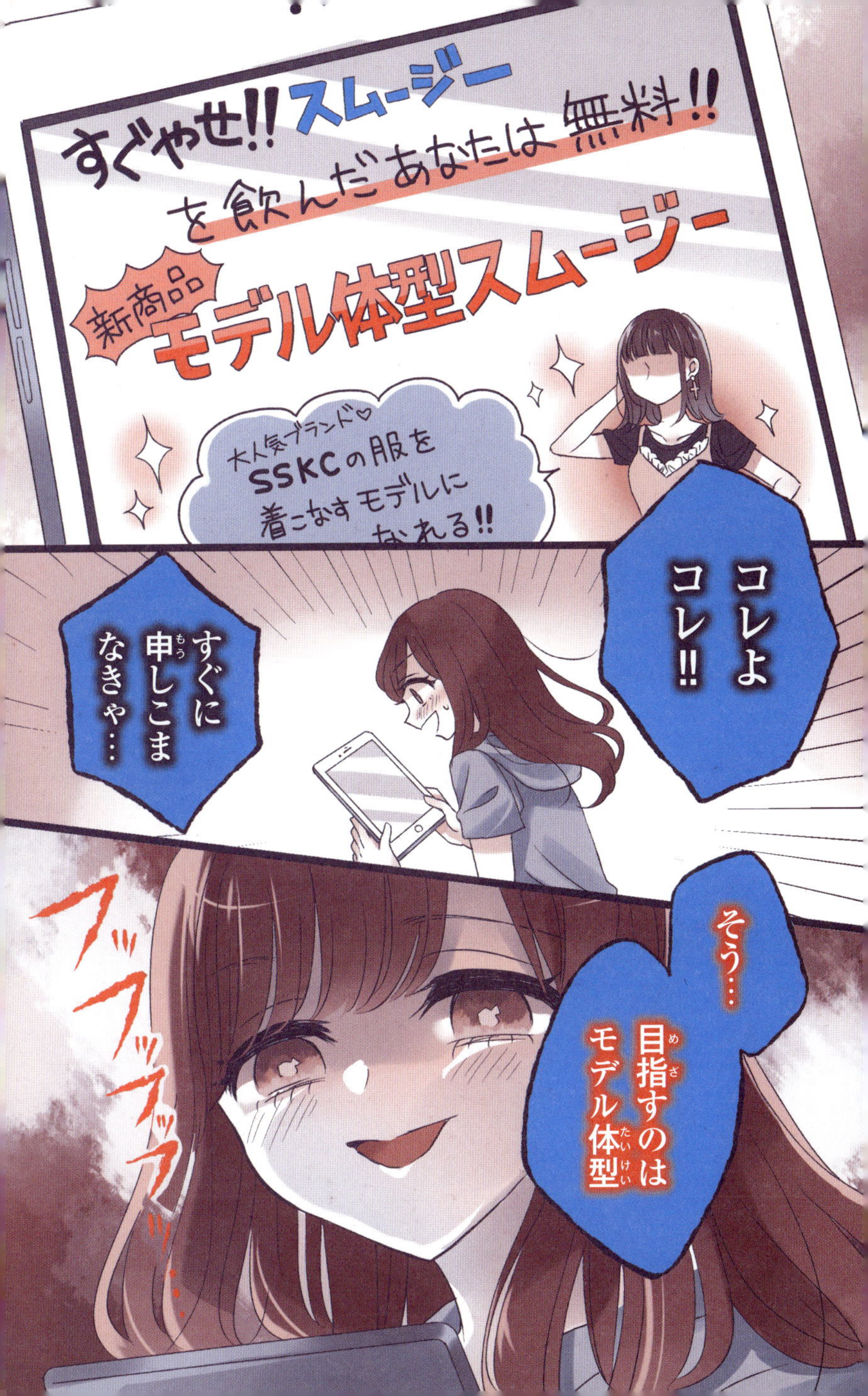
すぐやせ!!スムージー
を飲んだあなたは無料!!
新商品
モデル体型スムージー
大人気ブランド♡
SSKCの服を
着こなすモデルに
なれる!!
コレよコレ!!
すぐに申しこまなきゃ…
フフフフフッ…
そう…
目指すのはモデル体型

ゴク…
モデル体型スムージーを飲んでから
お腹がへらないな
もう1週間なにも食べてないや…

でもこれって
最高の状態よね…

さっ！SSKCの服着てみよ！

モデル体型スムージーに変えて正解！
これでもうどんなSSKCの服だって
完ペキに着こなせる♪
ニカァ…
ピキッ
!?

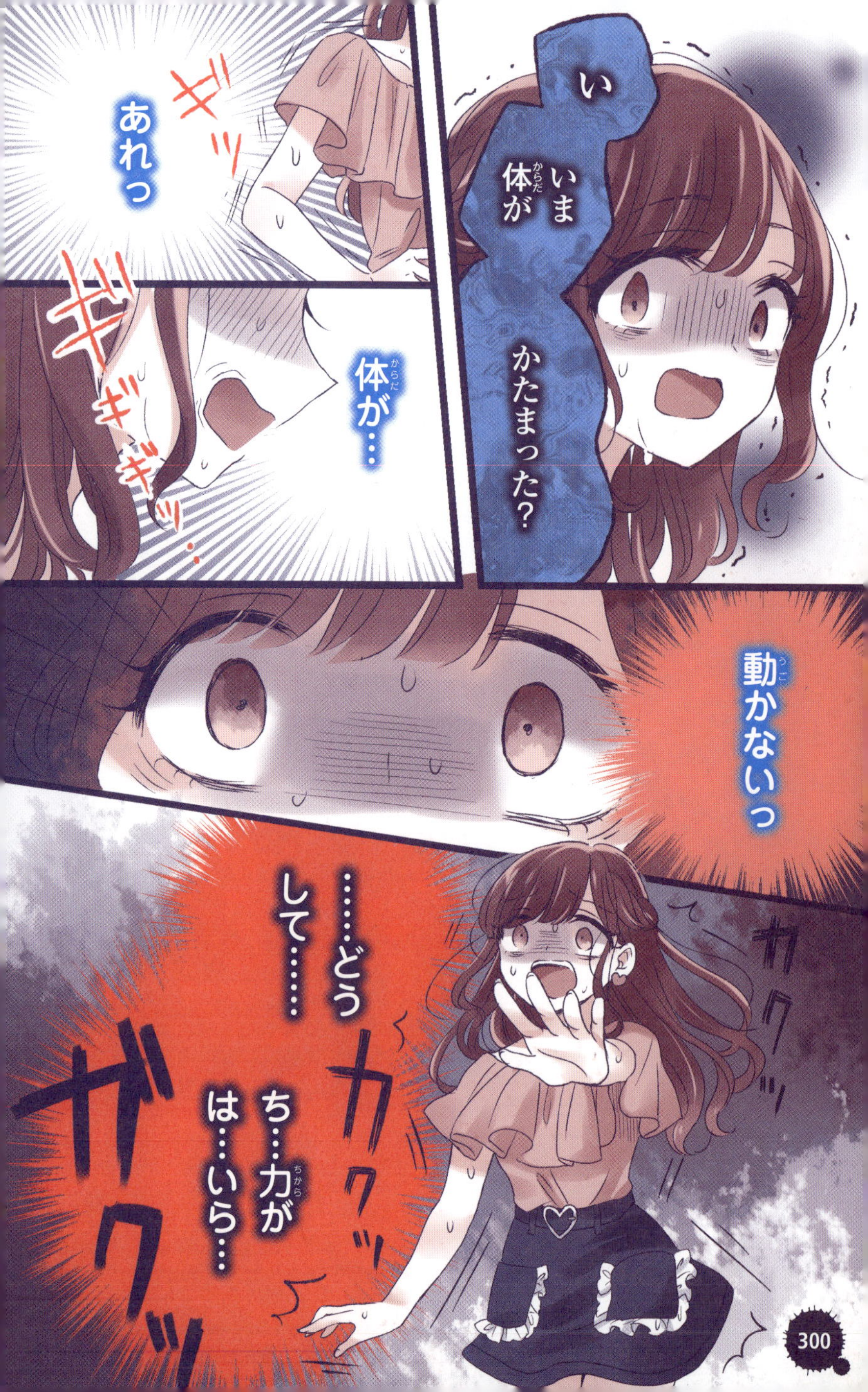
い
いま体が
かたまった?
ギッ
あれっ
ギギギギッ…
体が…
動かないっ
カクッ
……どうして……
カクッ
ち…力がはいら…
ガクッ

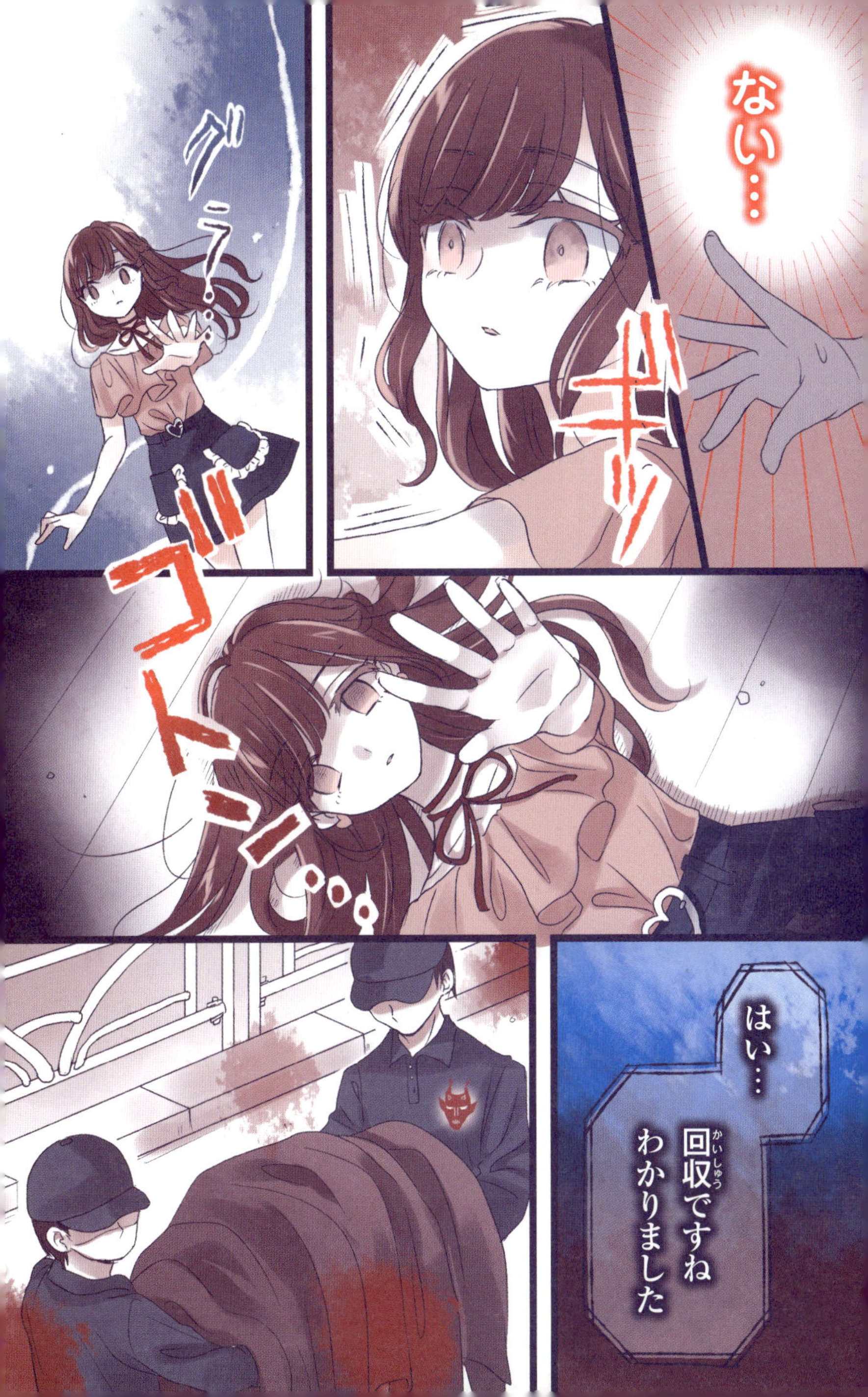
ない…
ギョッ
グラ…
ゴトーー…
はい…
回収ですね
わかりました

このスカート
かわいい〜ね♪
あ〜あ
こんな体型なら
なんでも似あう
よね〜
いいなぁ〜
あははは

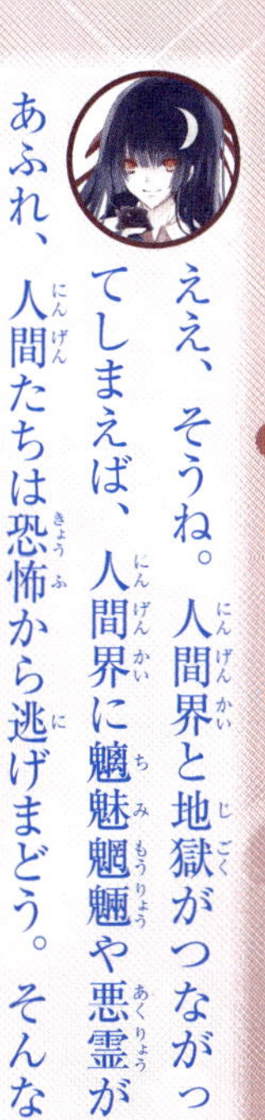

ええ、そうね。人間界と地獄がつながってしまえば、人間界に魑魅魍魎や悪霊があふれ、人間たちは恐怖から逃げまどう。そんな毎日になるでしょうね。

わたしたちは中立の立場として、人間界で見てきたことを感じたままに報告しなければならない。

みんなも人間とふれあって感じたことを、自分の言葉で話してくれたらいいから。

わたしは4人に背をむけ、一段高い証人台へとむかった。

わたしはこの数年間ずっと、人間について観察をしてきました。デモンが言ったとおり、たしかに人間は愚かで、それに不思議な生きものだと思います。

興味本位で自ら異空間へのトビラを開けてしまい、恐怖の闇に引きずりこまれてしまう子が、いったいどれほどいたか…。

それに擬似地獄も、最初にみなさんが期待していたとおりには成功しませんでした。

せっかく擬似地獄で自分のあやまちを反省できても、もとの生活にもどれば、またあやまちをくり返す。そんな人間もたくさんいました。

そうだそうだ！　アイツらはどうしようもなく、愚かな生きものだ。人間なんて救う価値などこれっぽっちだってない。早く人間界ごと消滅させてしまおうじゃないか！

たしかに擬似地獄が成功しなかったのは、人間たちのせいとしかいいようがない。
この際、人間界ごと消滅させてしまうのも、正しい判断なのかもしれんな…。

（…よしよし、いい流れじゃないか）
おいところで諸君、人間の愚かさだが、ここのところ、いままでにましてさらに際立ってきていると思わないか？

はい。『自分さえよければいい』そんな人間が異常なスピードで増えています。
…でもこれって、地獄から異空間へあふれだした魑魅魍魎や悪霊が、人間たちにとり憑いたってことなんじゃ…。

ヒカルの意見を聞いて、ブラクルは待っていたとばかりに不気味な笑みをうかべた。

おいおい。よ〜く考えてみろよ。たしかに地獄と異空間をつなぐトビラは不安定になり、地獄の住人があふれ始めた。
…だがな、異空間と人間界をつなぐトビラがまともなら、魑魅魍魎や悪霊は人間界に入れないじゃないか〜。

たしかにそうだな。でも、街にはあきらかに異常な邪気がただよっているし、それに影響される人間も増えている…。

そうよ。ここ最近、魑魅魍魎や悪霊のしわざで、異常になっている人間がたくさんいるのよ。わたしたちみんな気になっていたんだからまちがいないわ。
　地獄の住人のしわざじゃないなら、人間界の異変の原因はなんだっていうのよ！

　アハハハハハハ。アーハッハッハー。
　みんなをバカにするようなブラクルの笑い声が一帯にひびきわたる。

いやぁじつに愉快、愉快。いいねぇ〜。お嬢さんのその必死な物言い。真剣でじつにすばらしいじゃありませんか。
……オレは別に、人間界で起こっている異変が、地獄からあふれだした魑魅魍魎や悪霊のしわざじゃない、とも言ってないぜ。

（……ん？　異空間と人間界をつなぐトビラはこわれていない。しかし、人間界で起こっている異変は、地獄からあふれだした魑魅魍魎や悪霊のしわざ…。ブラクルはなにを言いたいんだ…？）

ティマがリエルとメルスにむかって、ヒソヒソと話しかけている。それを聞いた瞬間、ふたりはハッとした表情をうかべた。

ブラクルっ！　あなた、なんてことを。最近の人間界の異変はすべてあなたが仕組んだことだったのね！

異空間と人間界をつなぐトビラをわざと開けて、つぎからつぎへと地獄の住人を人間界へ移動させていたんだな。

あぁブラクル、あなたという悪魔は！

アーハッハッハ。ティマ、推理がさえてるじゃないか。そうだよ。すべてオレ様がやったことなのさ。すごいだろ！　ギャハハハハ。

フギャー!!　腹をかかえて笑うブラクルを、サーヤはキバをだし、いかくし続けていた。

そんなことをしたら、人間界がおかしくなることはわかっていたはずだ。なぜにくだらぬことをした？

じつになげかわしい。そうだ、なぜこんな真似を？

みんなにわかるよう説明をするんだ。

クリクチャーとエイブは苦々しい表情をうかべ、ブラクルをじっと見つめた。

アンタらや天界の住人は、すぐにバカな人間の肩をもちたがるからな。擬似地獄を創るときだってそうだ。人間にチャンスを与えようとか甘いこと言って、オレたちではなく人間の味方をした。だから今回はそうならぬよう、この機会にどうしようもない人間の愚かさを、ハッキリと証明してやったまでさ。

ブラクルの言うとおりだ。人間界を存続させたとて、きっとまたくり返す。人間のために、全世界が崩壊するなんて、バカげている。そのときに後悔しても遅い。

クリクチャーとエイブは両手で頭をおさえながら、うつむいてしまった。

ついでに教えてやるよ。オレの子分のフラスが人間界へ遊びに行って、なにやらハデに悪さしてきたみたいだ。う～んたしか、『ノロイの動画』がどうとか言ってたな。フラスはオレに似て目立ちたがり屋だから、ほかにも悪さをしてきたところに、自分の顔を印として残してきたって、言ってたぜ…。イヒヒヒヒヒヒヒヒヒヒ。

ノロイの動画はやはり悪魔のしわざだったんだな！ ごていねいに動画内へ『悪魔、恐怖の拡散、実験』なんてメッセージを残したってことか…。

人間の愚かさを証明するためとかいって、人間をワナにはめただけじゃない。こんなやり方、フェアじゃないわ。

（ブラクルのやつ…。すべてだまっていれば、話がうまい具合に進んだものを。調子にのって、ペラペラとしゃべりおって。このままじゃ不利になってしまうな…）

みなさん。たしかにブラクルやフラスがやったことは、フェアではなかったと認めよう。ただし、ふたりがしかけたワナはあくまできっかけにすぎない。人間が欲望や誘惑に負け、自ら選択をした結果、恐怖を呼びよせただけだ。天界の住人、地獄の住人、どちらの意見も正しい。ここでいったん休けいをとろう。4人の報告も聞き、最後の審判をくだす。

ちょっといいですか、闇月さん。空にうかんでいるあの七色の玉って、もしかして『創造の玉』と呼ばれるものですか？

ええ、クリクチャーとエイブが人間界を創ったときに使ったカギみたいなものね。創造の玉が消えれば、人間界も消滅する。とても重要なものだから、ふだんはだれも入れない、この裁きの場の頭上高くにうかんでいるのよ。

休けいが終わり、審判は再開された。4人が証人台に立ち、それぞれに話を始めた。

わたしは芸能界にまつわる人間たちを見てきました。アイドルやモデル、女優といった華やかな職業も、嫉妬やねたみ、不安などのドロドロした邪気にまみれていました。

容姿ばかりが美しい人間は山ほどいます。人間界をどうするべきか、わたしにはわかりません。

ぼくはいつも街中にでて、人間観察をしてきたんだ。そんなある日、恋するふたりに会った。
それはすでに霊となっていた少女と、人間の少年のせつない恋物語だった。
しかしふたりは最後まで、たがいに自分よりも相手のことを考えていた。人間は愛という尊いものを知っている生きものだ。
ぼくは人間界を消滅させたくないな。

わたしは人間界で魔術や不可思議な道具に魅了される人間を観察してきました。
そういった魔術や道具にたよるのは、自分の幸せを叶えるためならば、他人の不幸も願ってしまう。決まってそんな人間ばかりでした。
人間界の消滅はしかたないと考えます。一回すべてをリセットし、ゼロからスタートさせるのもいいのではないでしょうか？

ぼくは強く主張します。
人間界の消滅は、ゼッタイにやめるべきだ！
ぼくは学校という場所で、人間たちの観察をしてきました。そこでおどろいたのは、人間たちは感情がとても豊かだということ。
喜んだり、怒ったり、泣いたり、笑ったり。その表情は、本当にくるくると変化します。
感情が豊かだということは、それだけ心が繊細だということ。だからこそ、嫉妬、ねたみ、うらみ、苦しみ、後悔、軽蔑、むなしさ、さびしさ、不満、劣等感、あきらめ…。そういった悪い感情もうまれてしまうのでしょう。
人間は愚かで弱い。しかし、人間はかしこくて強くもある。愚かで弱いことを認め、だからこそ強く生きようと努力する人間もいるのです。
人間に、とくに子どもたちには希望がある。それをすべてうばうようなやり方は正しくない。

……ぼくは闇月さんから、いちばん最初に同じ主張が聞けると思っていたんです。人間を否定する意見にはガッカリしました。人間のことをだれよりも理解していると思っていたのに…。

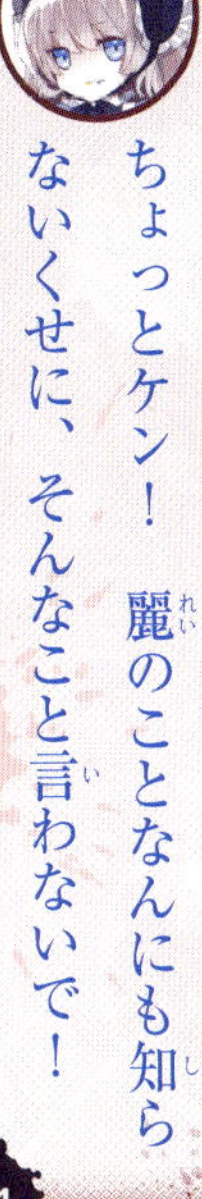

ちょっとケン！ 麗のことなんにも知らないくせに、そんなこと言わないで！

いいのよフランソワ。わたしはだれよりも中立の立場でいる必要があるから。

それにいろいろな側面から考えないと…。

報告をありがとう。これで全員の意見がそろったな。では地獄の住人、最後の主張があればするがよい。

主張は最初から変わらん。人間界をいますぐに消滅させよ！　もう1秒だって待てない。消滅だ、消滅させるのだ!!

しっかり聞き受けた。では天界の住人、言い残したことはないか？　最後の主張があれば、聞こうではないか。

シュナイザーとケン。あなたたちの意見に心を打たれました。人間には愛するという尊い感情がある。愛を知れば人間は変わることができる。それにダメなものはすぐに排除という考え方は、思考の放棄ですね。
わたしたちは、人間界の存続を主張します！

わたしも最後に…。われわれは人間を否定して終わりではなく、成長させるサポートをすべきです。もしもその役割が必要なのであれば、喜んで立候補します。

人間を創ったのは、ほかのだれでもないわれらだ。不要物として切り捨てるのはカンタンだが、そうではなくいっしょに変えていく努力が必要か。う～ん……。

たしかに人間だけでなく、われらにも責任がある。目先の結論にとらわれすぎということなのか？　先の先まで見こして考えていたのは、闇月麗だけだった。う～ん……。

（……ま、まずいな。クリクチャーもエイブも、人間界の存続のほうに心がかたむいている…。このままでは、人間界を存続させる審判がくだってしまうではないか。

オレがもくろんできた、人間界を消滅させて地獄をより大きな世界にする計画が水の泡になってしまう。う～ん、どうしたものか。

闇月がつれてきたあのガキたちのなかにも、人間の味方をする意見を言うやつがいやがるとはな。ジャマくさい。

早く、流れを変えるような主張をしなければ。

……ん？　いやっ、その必要はないぞ…）

……創造の玉
ハハーン！
その手があったたな
わが力を使って
あれをこわせば
人間界も消滅…

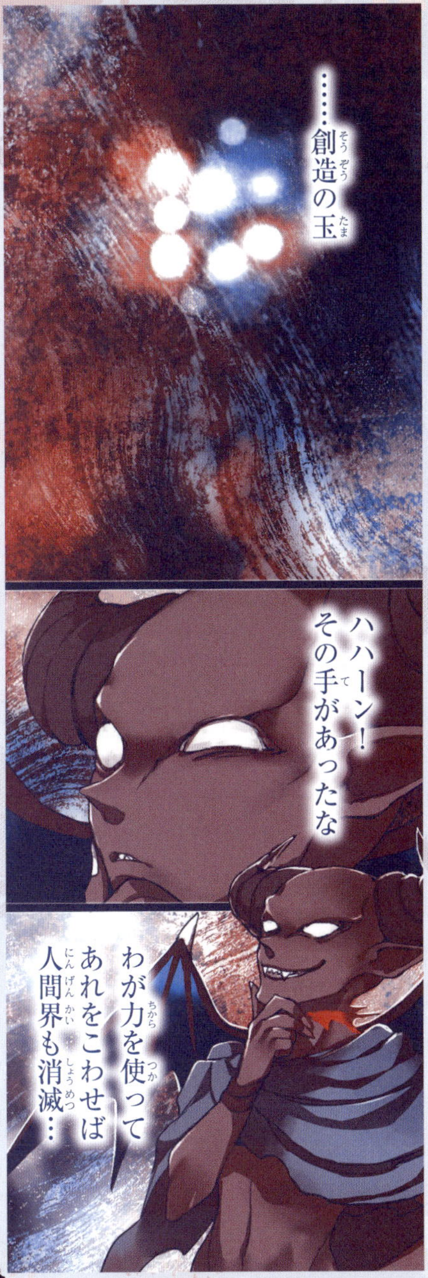

さっきから
デモンの様子が
おかしい…
まさか
創造の玉を…
は
ばっ
そんなことは
させない！
！

ミャアアアア
いやあああああ
やめてぇ!!
…

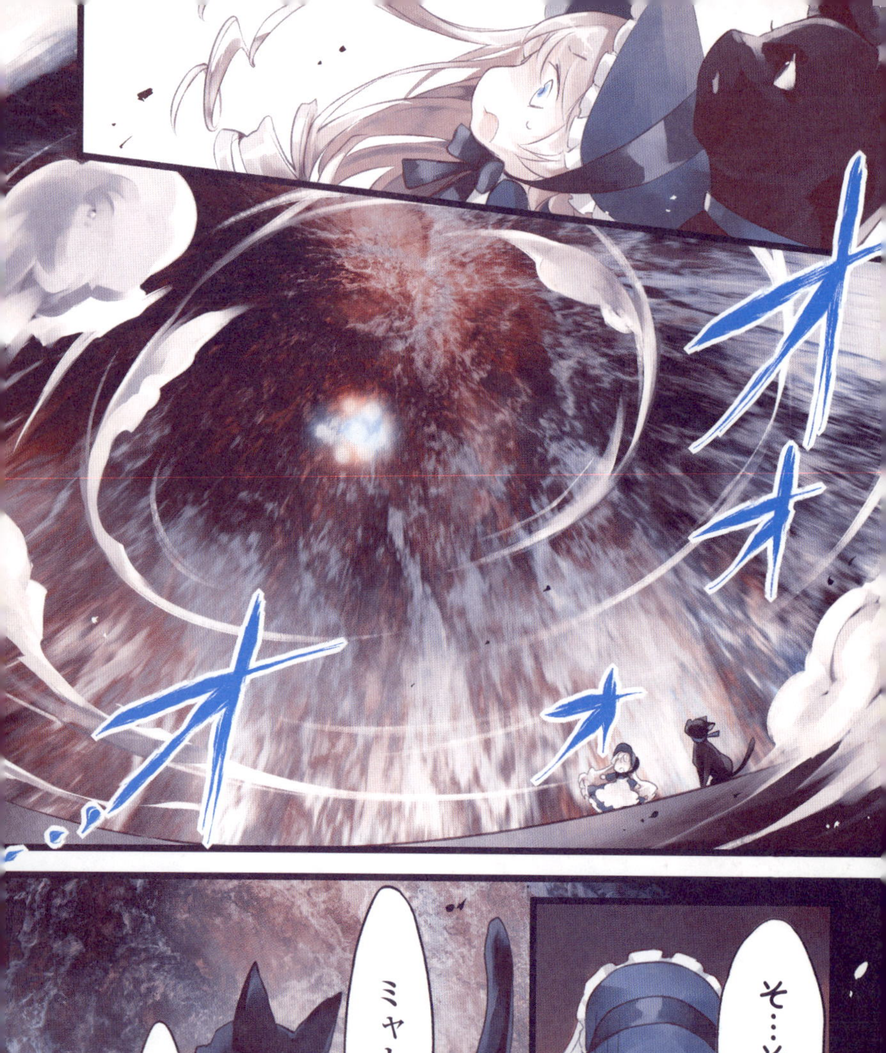
オオオ
オ
オ

そ…そんな
ミャー…
ミャー
ミャー…

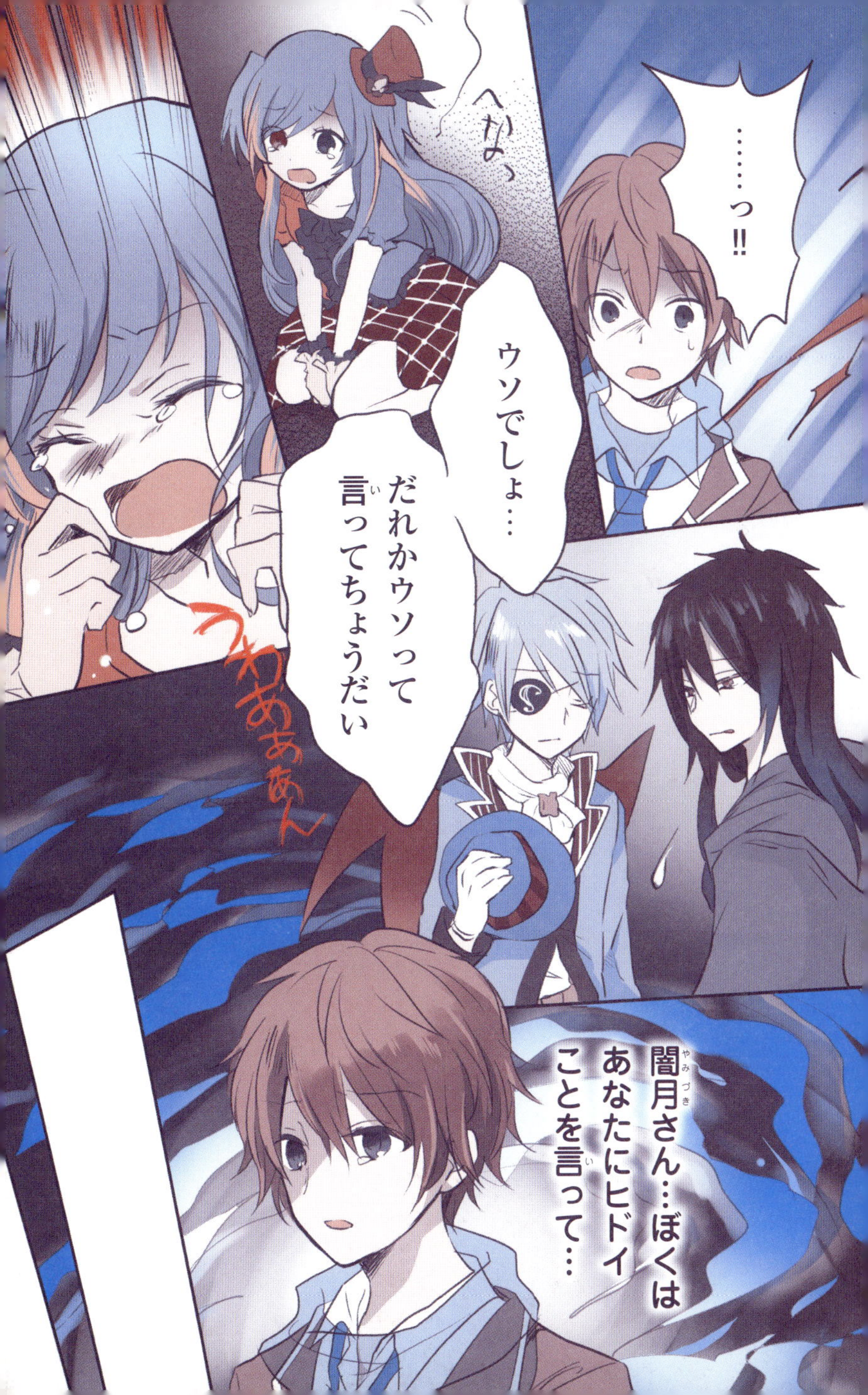
……っ!!
へなっ
ウソでしょ…
だれかウソって言ってちょうだい
うわあああん
闇月さん…ぼくはあなたにヒドイことを言って…

みなさん、こんにちは。わたし、フランソワよ。
…え⁉　なに？　あの後、最後の審判の結果は
どうなったのかって？
フフッ。あなたがいま、そこにいるって
ことは、人間界が守られたからじゃないの。
デモンは自分の計画がパーになって、
たいそうくやしがっていたみたいだけど…。

――闇月麗のおかげで、あなたたち人間は助かった…。
だけど麗は、創造の玉を守ったあの日から
いまもずっと消えたまま…。

…今回、なんとか人間界は存続という形になったけれど
それが永遠に続くと思ったら大まちがいよ。
すべてはあなたたち人間の行い次第。
これから先、人間界消滅という最悪なシナリオが
訪れぬよう、せいぜい気をつけることね…。
自分の身をていして人間界を救った、闇月麗の想いを
ムダにしないで…。

それじゃあ人間のみなさん
さようなら……。

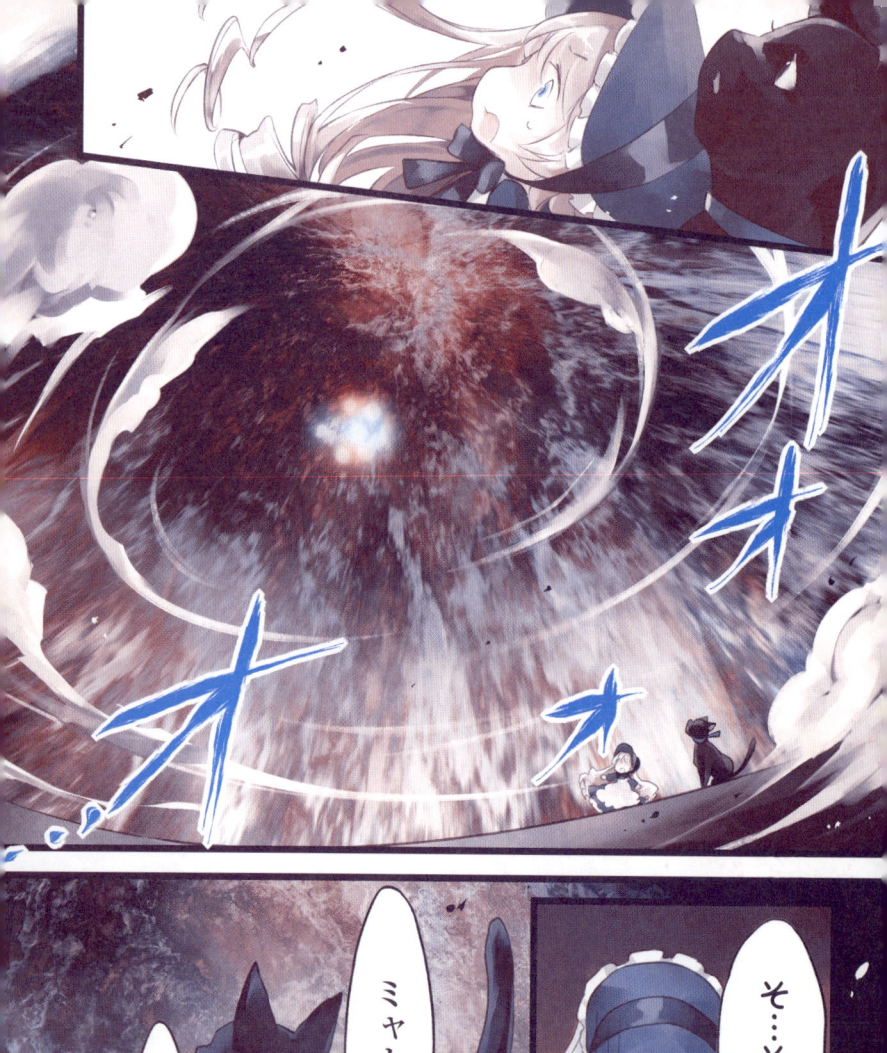

あなたのコワ～イ心霊体験談や不思議な話を送ってください…

みんなのお便りはあなたのまわりの…怖いストーリーで紹介します！

背筋の凍るような恐怖体験を本づくりの参考にさせていただきます。

- 怖いウワサ話
- 実際に体験した心霊現象
- あなたが考えた怖い小説…など

- 下のあて先までおハガキ、お手紙のどちらかで送ってください。
- 「ペンネーム」「年れい」と、「この本で心に残ったお話」を3つ書いてください。
- あわせて下の「恐怖アンケート」にもお答えください。

恐怖アンケート

質問1 あなたは霊を見たことがありますか？

質問2 あなたには霊感がありますか？ または霊感がある友だちがいますか？

質問3 あなたの学校の七不思議を教えてください。

質問4 夜寝る前など怖い気持ちになってしまったとき、どうしていますか？

あて先

〒113-0034 東京都文京区湯島2-3-13
株式会社西東社
「ミラクルきょうふシリーズ 心霊体験談募集」係

- 小説やマンガを作成する際に応募いただいたお話の一部を変更したり、内容を加えたりすることがあります。
- 応募いただいたお話をもとに作成した小説やマンガの著作権は、株式会社西東社に帰属します。

マンガ――――三葉ミラノ[P2～、P201、P317]　高咲あゆ[P15～]
真鍋りか[P28～]　Laruha[P48、P314～]　青空瑞希[P49～]
あまねみこ[P72～]　hnk[P77～]　ザネリ[P112～]
こいち[P127～]　たちばな梓[P145～]　sanarin[P155～]
笑夢かぇる[P170～]　ひなた未夢[P180～]
多柏もりえ[P209～]　ミユキ[P215～]
倫理きよ[P220～]　シノアサ[P237～]
poto[P267～]　やとさきはる[P289～]
カバーイラスト――Laruha
イラスト――――水上カオリ　三葉ミラノ　蜂蜜ハニィ　sanarin
稚野まちこ　るご
執筆協力――――リバプール株式会社
監修協力――――LUA　ageUN株式会社
カバーデザイン――棟保雅子
デザイン――――柿澤真理子　棟保雅子　佐々木麗奈　橘奈緒
DTP――――J-9
マンガ原作――――08CREATION　青空瑞希[4話]
編集協力――――08CREATION

またみなさんに会える日がやってくるかしら？
そんなときがくる日まで、お元気でごきげんよう…

2017年8月15日発行　第1版
2021年9月30日発行　第1版　第6刷

編著者　闇月 麗［やみづき　れい］
発行者　若松和紀
発行所　株式会社 西東社
〒113-0034　東京都文京区湯島2-3-13
https://www.seitosha.co.jp/
電話　03-5800-3120（代）
※本書に記載のない内容のご質問や著者等の連絡先につきましては、お答えできかねます。

ISBN 978-4-7916-2538-3